La Juliette Society

Infographie : Johanne Lemay
Correction : Brigitte Lépine

DISTRIBUTEUR EXCLUSIF :

Pour le Canada et les États-Unis :
MESSAGERIES ADP*
2315, rue de la Province
Longueuil, Québec J4G 1G4
Téléphone : 450-640-1237
Télécopieur : 450-674-6237
Internet : www.messageries-adp.com
* filiale du Groupe Sogides inc.,
filiale de Québecor Média inc.

09-13

L'ouvrage original a été publié
par Sphere, succursale de Little, Brown Book Group
sous le titre *The Juliette Society*

Dépôt légal : 2013
Bibliothèque et Archives nationales du Québec

Gouvernement du Québec – Programme de crédit d'impôt pour l'édition de livres – Gestion SODEC – www.sodec.gouv.qc.ca

L'Éditeur bénéficie du soutien de la Société de développement des entreprises culturelles du Québec pour son programme d'édition.

Nous remercions le Conseil des Arts du Canada de l'aide accordée à notre programme de publication.

Nous remercions le gouvernement du Canada de son soutien financier pour nos activités de traduction dans le cadre du Programme national de traduction pour l'édition du livre.

Nous reconnaissons l'aide financière du gouvernement du Canada par l'entremise du Fonds du livre du Canada pour nos activités d'édition.

SASHA GREY

La Juliette Society

ROMAN

Traduit de l'anglais (États-Unis)
par Pascal Loubet

Une société de Québecor Média

Avant que nous allions plus loin, mettons les choses au point.

Je veux que vous fassiez trois choses :

Un.

Ne soyez pas offensé par ce que vous lirez dans les pages qui suivent.

Deux.

Laissez vos inhibitions au vestiaire.

Trois – et c'est le plus important.

Tout ce que vous verrez et entendrez à partir de maintenant doit rester entre nous.

OK. À présent, passons aux choses sérieuses.

CHAPITRE 1

Si je vous disais qu'il existe un club secret dont les membres sont choisis uniquement parmi les plus puissants de la société – banquiers, superriches, magnats de la presse, PDG, avocats, juges et policiers, marchands d'armes, militaires décorés, politiciens, dignitaires du gouvernement, et même membres du distingué clergé catholique –, me croiriez-vous?

Je ne vous parle pas des Illuminati. Ni du groupe Bilderberg, du Bohemian Club, ou de ces grotesques inventions distillées par les tarés conspirationnistes pour faire vendre leur paperasse.

Non. En apparence, ce club est beaucoup plus innocent.

En apparence.

Mais pas dans le fond.

Ce club se réunit irrégulièrement dans un lieu tenu secret. Tantôt lointain et tantôt si évident qu'il en devient invisible. Mais jamais deux fois au même endroit. Généralement, même pas dans le même fuseau horaire.

Et durant ces réunions, ces gens… ne tournons pas autour du mot, nommons-les pour ce qu'ils sont, les Maîtres de l'Univers. Ou encore le Directoire du Système Solaire Connu. Ces gens, les Patrons, se servent de ces réunions privées comme d'un espace de détente fort essentiel, pour oublier la tâche stressante et importante qui consiste à fourrer le monde toujours plus profond et à rêver de méthodes encore plus retorses et sadiques pour torturer, réduire en esclavage et appauvrir la population.

Et que font-ils durant leurs loisirs, quand ils veulent se détendre ?

Cela devrait être évident.

Ils baisent.

Je vois bien que vous n'êtes pas convaincu. Laissez-moi présenter les choses ainsi : avez-vous déjà rencontré un garagiste qui n'ait pas un penchant pour les voitures ? Un photographe qui ne prenne pas de photos tant que les lumières du studio ne sont pas allumées ? Un boulanger qui ne mange pas de gâteaux ?

Donc, ces gens, les Patrons – on ne va pas y aller par trente-six chemins –, sont des crosseurs professionnels.

Ils vous baisent pour avoir le dessus sur vous. Ils vous enculent pour arriver au sommet. Ils vous prennent votre argent, votre liberté et votre temps. Et ils continuent de vous enculer jusqu'à ce que vous rendiez votre dernier souffle. Et encore un peu après.

L'autre chose à savoir, la voici. Les puissants sont comme les célébrités. Ils aiment être entre eux. Tout le temps. Ils vous répètent jusqu'à plus soif que c'est parce que personne d'autre ne comprend mieux que leurs semblables ce que c'est que d'être comme eux. En réalité, c'est parce qu'ils ne veulent pas se frotter aux échelons inférieurs, à la masse, le vulgaire et le commun prenant un tel plaisir à voir les riches et les puissants succomber à l'unique chose capable de les faire s'arrêter : le sexe.

Ces gens, les Patrons, les crosseurs professionnels, ont compris comment baiser autant qu'ils veulent, et se livrent à leurs fantaisies sexuelles les plus débridées et les plus dépravées sans risquer le scandale. C'est un peu comme quelqu'un qui dirait avoir trouvé comment péter sans que ça sente, mais passons… ils font ça derrière des portes closes. Et tous ensemble. En secret.

Henry Kissinger a dit un jour que le pouvoir est l'aphrodisiaque suprême. À l'époque, il rôdait depuis assez longtemps dans les couloirs du pouvoir pour savoir exactement de quoi il parlait. Cet endroit en est la preuve.

On pourrait l'appeler le Club de Baise des 500 Plus Grandes Fortunes du Monde.

La Ligue des Crosseurs Immortels.

La World-Touze.

Ou le Groupe du Sexe.

Ils l'appellent la Juliette Society.

Allez-y. Googlez le nom. Vous ne trouverez rien du tout. Absolument rien. C'est vous dire s'il est secret. Mais juste pour que vous ne restiez pas dans le noir complet, voici un petit peu d'information et d'histoire.

La Juliette dont cette société a pris le nom est l'un des deux personnages – des sœurs, l'autre étant appelée Justine – conçus (si tant est que ce soit le mot juste) par le marquis de Sade, cet aristocrate français du XVIIIe siècle, libertin, écrivain et révolutionnaire dont les aventures sexuelles scandalisèrent tant la noblesse française qu'il fut embastillé pour obscénité. Ce qui, rétrospectivement, fut une décision malheureuse, car dans sa cellule, n'ayant rien de mieux à faire que de se branler jour et nuit, le marquis fut poussé à inventer des obscénités pires encore. Juste pour prouver sa théorie.

Durant son incarcération, il rédigea le plus bel ouvrage de littérature érotique que le monde ait jamais connu. *Les cent vingt journées de Sodome*. Le seul livre jamais écrit qui surpasse la Bible en matière de violence et de perversion sexuelle. Et presque aussi long. Ce fut le marquis bien sûr qui, par la fenêtre de sa cellule à la Bastille, cria à la foule massée au pied qu'il fallait démolir le bâtiment et qui, par inadvertance, déclencha la Révolution française.

Mais revenons à Juliette. C'est la moins connue des deux sœurs. Pas parce que c'est la plus discrète. Oh non, loin de là ! Voyez-vous, Justine est un peu une prude emmerdante, une fille avide d'attention qui joue la victime jusqu'à ce que vous en ayez par-dessus la tête. Elle est comme ces célébrités qui ne cessent de radoter sur les ravages des drogues et du sexe compulsif, et mettent inlassablement et publiquement en avant leur vertu en apparaissant dans la moindre émission de téléréalité où il est question de désintoxication.

Et Juliette ? Juliette éprouve sans vergogne une soif de sexe, de meurtre et du moindre délice charnel qu'elle n'ait pas encore goûté. Elle baise et tue, tue et baise, et parfois les deux en même temps. Et elle s'en tire toujours à bon compte, sans jamais payer ni pour ses galipettes ni pour ses crimes.

Peut-être qu'à présent, vous voyez où je veux en venir. Peut-être que vous comprenez pourquoi cette société secrète, la Juliette Society, n'est sans doute pas aussi innocente qu'elle en a l'air.

Et si je vous disais que j'ai réussi à pénétrer – si j'ose dire – le saint des saints de ce club, me croiriez-vous ?

Ce n'est pas que j'y aie ma place. Je suis une étudiante en troisième année d'université. Études de cinéma. Je ne suis pas quelqu'un de spécial. Juste une fille ordinaire qui a dans la vie les mêmes besoins et désirs ordinaires que tout le monde.

Amour. Sécurité. Bonheur.

Et m'amuser. J'adore m'amuser. J'adore bien m'habiller et avoir de l'allure, mais je n'ai pas des goûts de luxe en matière de vêtements. Je conduis une petite Honda trois-portes d'occasion dont la banquette est toujours encombrée d'un bordel varié que je n'ai jamais le temps d'enlever. Mes parents me l'ont offerte pour mes dix-huit ans, et c'est avec elle que j'ai emporté toutes mes affaires en quittant la maison pour aller à l'université. J'ai laissé derrière moi des amis que je connaissais depuis l'enfance ; certains dont je me suis lassée avec l'âge et avec qui je ne me trouve plus de points communs, et d'autres sans lesquels je n'imaginerais pas passer ma vie ; et tout un tas de nouveaux qui m'ont ouvert les yeux et fait découvrir d'autres horizons.

À partir de là, je ne vais plus avoir l'air de la petite Je-Sais-Tout. Là, je vais commencer à vous paraître toute simple et toute modeste. Parce que, à vrai dire, c'est dans ma tête que je me suis approchée du siège du pouvoir.

J'ai un fantasme sexuel récurrent. Non, il ne consiste pas à baiser Donald Trump dans son jet privé à dix mille mètres au-dessus de Saint-Tropez. Je ne vois rien qui me dégoûterait plus. Mon fantasme est beaucoup plus terre à terre, ordinaire et intime que cela.

Plusieurs fois par semaine, je vais chercher mon petit copain après le boulot et parfois, quand il tarde et qu'il est le dernier à sortir, j'imagine faire des trucs avec lui dans le bureau de son patron – mais nous ne l'avons jamais fait. On a bien le droit de rêver un peu, non ?

Son patron est sénateur. Ou plutôt un avocat en vue qui veut devenir sénateur. Et Jack, mon petit ami, fait partie de son équipe de campagne. En plus d'être étudiant en économie. Ce qui ne nous laisse pas beaucoup de temps pour être ensemble, parce que, quand sa journée est finie, il est généralement tellement crevé qu'il s'endort sur le canapé presque à l'instant où il a enlevé ses chaussures. Le matin, il se lève de bonne heure pour partir en cours et nous n'avons généralement pas le temps pour un petit coup vite fait. Et vous savez ce qu'on dit de ceux qui passent leur temps à travailler.

J'ai donc comme fantasme de jouer mon rôle de docile petite copine et j'ai tout prévu. Je m'habillerais pour l'occasion. Bas et talons avec mon trench beige, le même que celui que porte Anna Karina dans *Made in U.S.A.* de Godard. Et dessous, de la lingerie. Peut-être un soutien-gorge et une petite culotte noirs, avec des jarretelles assorties. Ou bien je n'aurais rien en haut et seulement des bas blancs qui montent au genou et la petite culotte rose à pois qui a l'air de le rendre dingue. Ou encore juste des talons, jambes nues sans rien d'autre qu'une combinaison en soie crème ou une nuisette en mousseline. Mais toujours du rouge à lèvres rubis. Indispensable. Le meilleur allié d'une fille.

Le QG de campagne est un magasin en ville. Il y a des baies vitrées de tous les côtés et les lumières restent allumées toute la nuit pour que le moindre passant puisse voir la rangée d'affiches rouges, noires et blanches dans la vitrine où figure la trogne du patron de Jack sous le slogan en capitales : VOTEZ ROBERT DEVILLE.

L'unique endroit où nous aurions un peu d'intimité est le débarras, les toilettes ou le bureau que Bob – il tient à ce que tout le monde l'appelle ainsi – utilise quand il est là, ce qui est assez rare. Il est tout au fond, près de l'issue qui donne sur le stationnement, pour qu'il puisse entrer et sortir discrètement au lieu de devoir passer par l'entrée sur rue, au vu et au su de tout le monde.

Je suis à peu près sûre qu'il doit y avoir une poignée de gens dans ce bureau dont le fantasme est de baiser dans les toilettes ou le débarras pendant les heures de bureau en espérant ne pas se faire pincer. Mais ce n'est pas le mien, et certainement pas si nous avons les lieux rien que pour nous. Et de toute façon, Jack me fait généralement entrer par la porte de derrière, qui donne directement sur le stationnement où je me gare, et le bureau est… juste là.

Il faut que je le répète, car je ne veux vraiment pas que vous vous mépreniez: nous ne l'avons jamais fait en réalité. Nous n'en avons même pas parlé, Jack et moi. Je ne suis même pas sûre qu'il accepterait. Mais dans mon fantasme, dès que nous entrerions dans ce bureau, que la porte serait refermée et les lumières, éteintes, les bisous et les câlins seraient terminés. C'est moi qui prendrais les rênes.

Je le pousserais à la renverse dans le fauteuil, le confortable fauteuil pivotant en cuir de Bob, et nous baiserions là, sur le « siège du pouvoir ». Je lui dirais de ne pas se lever, de ne pas se toucher, de ne pas bouger d'un poil, et je ferais un petit *strip-tease,* pour m'exhiber devant lui. D'abord, j'enlèverais la ceinture de mon manteau que je ferais glisser sur mon épaule pour dévoiler un peu de chair. Puis j'ouvrirais rapidement un pan en gardant l'autre plaqué contre moi, pour lui donner seulement un petit aperçu de ce qu'il y a dessous. Je lui tournerais le dos, laisserais tomber le manteau par terre, me baisserais et toucherais mes orteils pour qu'il sache exactement ce qu'il aura s'il se montre sage et s'il fait exactement ce que je lui demande.

Il banderait avant même que je lui aie enlevé son pantalon. Et quand je le ferais, je la verrais qui tendrait l'étoffe de son caleçon en coton.

Le moment serait venu pour un contact rapproché. Mais il n'aurait pas encore le droit de me toucher. Je me placerais devant le fauteuil, enfourcherais ses cuisses en lui tournant le dos, et j'empoignerais les accoudoirs tout en frôlant, caressant et appuyant mes fesses, d'abord doucement, puis avec insistance, sur son entrejambe. Ensuite, je me laisserais descendre le long de sa queue, je la prendrais entre mes fesses et je serrerais pour la sentir gonfler et tressaillir contre la courbe de mon…

Mais je m'éloigne du sujet. Le sujet étant que je n'avais aucune raison d'être là, à la Juliette Society, parmi tous ces gens. Et je n'avais pas vraiment répondu à une petite annonce sur Craigslist ni passé un entretien d'embauche pour y entrer.

Disons seulement que j'avais un talent particulier, une tendance prononcée, une soif d'apprendre.

Et que j'ai été repérée.

Nous pourrions débattre en long, en large et en travers de la question nature ou culture, mais ce talent, ce n'est pas quelque chose d'inné chez moi. Du moins n'en suis-je pas consciente. Non, c'est quelque chose dont je me suis aperçue. Mais ça faisait longtemps qu'il était en moi, crypté, enfoui comme le détonateur chez un agent dormant, et seulement déclenché il y a peu.

Après avoir dit tout cela, comment vais-je commencer à expliquer ce qui s'est passé cette nuit-là ? La nuit où j'ai fait la connaissance de la Juliette Society.

CHAPITRE 2

La première chose que nous avons apprise en cours de cinéma est la suivante:

L'intrigue est toujours subordonnée aux personnages.

Toujours, toujours, toujours et sans exception.

N'importe quel professeur de *creative writing* digne de ce nom vous dira exactement la même chose, et il vous le fera répéter jusqu'à ce que cela vous soit aussi familier que votre propre prénom.

Ce principe général gouvernant un univers de fiction est aussi immuable que la théorie de la relativité d'Einstein. Sans lui, toute la substance s'effiloche.

Prenez n'importe quel film classique (n'importe quel film, en fait), réduisez-le à ses fondamentaux, et vous verrez de quoi je parle.

OK. *Sueurs froides*, un film que tout étudiant de cinéma comme moi est censé connaître à fond: le personnage de James Stewart, Scottie, est un détective dont la quête obsessionnelle et obstinée de la vérité, ajoutée à une tendance handicapante au vertige et une obsession pour une blonde morte qui frise la nécrophilie, sont les choses mêmes – son talon d'Achille, pour ainsi dire – qui l'empêchent de déceler la supercherie complexe dont il est la victime.

Imaginons plutôt que Scottie ait été un policier avec un penchant pour les sucreries. Cela aurait été plus réaliste. Mais ça n'aurait tout bonnement pas fonctionné. Il aurait alors été inexorablement attiré par le marchand de beignes au lieu de la femme fatale, et Hitchcock n'aurait pas eu de sujet de film.

Et voilà : l'intrigue est subordonnée aux personnages.

Prenons un autre exemple. *Citizen Kane*. Les critiques de cinéma adorent dire que c'est le plus grand film jamais réalisé, et avec raison, car tout y est. Sens sous-jacent, direction artistique, mise en scène, tout ce qui fait d'un grand film une œuvre d'art et pas une publicité rallongée pour Microsoft, Chrysler et Frito-Lay, comme semblent l'être les films ces derniers temps.

Citizen Kane, donc, histoire d'un magnat de la presse, Charles Foster Kane, terrassé par les excès et l'ambition – ces qualités mêmes qui ont alimenté son ascension, des qualités nées d'un envahissant complexe d'Œdipe qui réduit à néant sa réussite, condamne son mariage et finit par causer sa mort.

Condamné par ce cercle vicieux qui se trouve au cœur même de sa personnalité, le pauvre Charlie meurt seul et sans amour, simplement parce qu'il n'a jamais réussi à se détacher du sein de sa mère.

Ou peut-être pas du sein… parce que le mot que Kane prononce en rendant son dernier soupir, quand ses doigts se desserrent et qu'il lâche la boule à neige – ou la boule de cristal, dans laquelle il n'a pas su lire son avenir immédiat, et voir que sa vie n'était pas seulement foutue mais finie – ce mot, *Rosebud*, était, ainsi que le veut la légende, un clin d'œil d'Orson Welles en référence au petit nom affectueux que donnait William Randolph Hearst (le personnage qui inspira Charles Foster Kane) au vagin de sa maîtresse.

Rosebud. Bouton de rose. Le premier mot que l'on entend dans le film et le dernier que l'on voit, peint sur une luge d'enfant jetée dans un feu, et que les flammes dévorent et effacent.

Une fois que vous connaissez ce petit détail, vous ne pouvez plus regarder *Citizen Kane* de la même façon. Vous entendez *Rosebud.* Vous voyez *Rosebud.* Vous pensez : « vagin ».

Vous vous dites qu'Orson Welles a peut-être essayé de nous dire quelque chose ? Je crois que c'était ceci : Charles Foster Kane avait vraiment baisé sa propre mère. Et ça – on ne s'en étonnera pas –, c'était la source de tous ses problèmes.

Encore une fois. L'intrigue est toujours subordonnée au personnage.

Ne l'oubliez pas.

Soit dit en passant, il y a un seul et unique type de films qui ne suit pas cette règle. Un genre qui l'enfreint de manière flagrante. Et non seulement il l'enfreint, mais il la renverse, juste parce qu'il en a la possibilité, et parce qu'il s'en fout royalement : c'est le film porno.

Mais n'allons pas plus loin.

Quoi qu'il en soit, cette règle, je me suis rendu compte qu'elle s'applique autant à la réalité qu'à la fiction. C'est non seulement dans les films que ce qui nous arrive est subordonné à notre identité, nos actions et nos motivations, mais aussi dans l'histoire de notre vie, les choix que nous faisons et les voies que nous empruntons.

Le chemin sur lequel on se trouve, on ne peut pas le voir. Ce n'est pas la route de brique jaune, l'autoroute du soleil ou une simple deux-voies. Je connais la route que j'ai prise seulement lorsque je suis arrivée à destination, que je me retourne pour mesurer la distance parcourue et que je me rends compte que durant tout ce temps, les choix que j'ai faits et les directions que j'ai suivies m'ont menée là où je suis.

Voilà comment ça marche. Pour pouvoir vous expliquer comment j'ai fini à la Juliette Society, il faut que je commence par le début.

Pas le tout début. On va garder les photos gênantes de moi bébé pour une autre fois. Et tous ces souvenirs d'enfance apocryphes qui identifient les origines des traumatismes que je traîne depuis. Comme la fois où j'ai pissé dans ma culotte au catéchisme pendant que sœur Rosetta nous racontait l'histoire de Noé et de son arche.

Donc, non, pas au tout début, mais pas bien loin.

Et il faut que je vous précise un peu mon personnage, mon talon d'Achille. Il faut que je commence par Marcus, mon prof, dont je suis secrètement amoureuse.

Toutes les filles n'ont-elles pas un amour secret ? Un être sur lequel elles peuvent projeter leurs fantasmes sexuels les plus débridés ? Le mien est Marcus, qui, à son insu, est devenu mon fétiche dès l'instant où je suis entrée dans sa classe.

Marcus : brillant, ébouriffé, bel homme, timide – timide au point de friser la froideur – et passionné. Marcus, qui m'a fascinée dès l'instant où j'ai posé le regard sur lui. Rien n'inspire plus la curiosité d'une femme qu'un homme émotionnellement distant et indéchiffrable, surtout sexuellement. Je n'arrivais pas à mettre une étiquette sur Marcus.

Dans la théorie du cinéma, il y a un terme, « la frénésie du visible ». On peut le définir comme quelque chose qui a trait au plaisir. Le plaisir intense que nous éprouvons à regarder, voir et comprendre des vérités évidentes de l'existence du corps physique et de ses mécanismes, déployés en grand sur l'écran.

C'est ce que j'éprouve avec Marcus. Quand je suis assise au premier rang de l'amphithéâtre, là où je peux le voir le mieux, se découpant sur le tableau blanc, illuminé par les néons qui paraissent aussi éclatants que des projecteurs sur un plateau de cinéma. Je m'assois à cet endroit précis à chaque cours, au premier rang de cette immense salle qui en compte une quarantaine, pile au milieu, juste devant son bureau, à l'endroit où il ne peut manquer de me remarquer. Pourtant, Marcus croise rarement mon regard. Il ne se tourne même pas dans ma direction, il s'adresse à la salle – tout entière – sauf à moi, et cela me donne l'impression que je ne suis pas là, que je n'existe même pas.

Il est là, et pas moi, et ça me rend folle: la frénésie du visible.

Je me demande s'il me tient la dragée haute simplement parce que j'en fais des tonnes pour le cruiser.

Les jours où j'ai cours – lundi, mardi, vendredi –, je me surprends à m'habiller pour lui. Aujourd'hui ne fait pas exception. Aujourd'hui, j'ai choisi un jean moulant qui fait ressortir mon cul, un soutien-gorge à armature qui rehausse les seins et les écarte, un débardeur à rayures bleues et blanches qui en accentue les courbes, et un cardigan bleu marine qui les encadre et attire le regard vers eux.

Je veux qu'il remarque mes seins et qu'il pense à Brigitte Bardot dans *Le Mépris*, à Kim Novak dans *Sueurs froides*, à Sharon Stone dans *Basic Instinct*.

C'est assez énorme?

J'espère bien.

Donc, aujourd'hui, comme toujours, je suis assise en cours et, tout en faisant mine de prendre des notes, je déshabille Marcus du regard. Il parle de Freud, Kinsey et Foucault, du spectacle du cinéma et du regard féminin, et j'essaie de suivre la courbe de sa queue dans ce pantalon de costume marron un peu trop moulant à l'entrejambe pour empêcher de la deviner.

Il est à moitié assis sur son bureau, une jambe perchée dessus formant un angle droit presque parfait avec l'autre, fermement posée par terre. Et tout en mâchouillant un crayon, je compte les centimètres entre l'entrejambe et la cuisse afin d'évaluer épaisseur, volume et longueur.

Je note proprement ces chiffres dans le coin supérieur droit de mon bloc, qui, après vingt minutes de cours, ne contient que des gribouillis et des dessins. Et quand je fais le calcul mentalement, je suis impressionnée. Parce que Marcus a de toute évidence une bite qui est plus qu'en harmonie avec la taille de sa cervelle.

Cela ne devrait pas m'étonner. Si encore c'était la première fois que je faisais ce calcul. À chaque cours, c'est le même manège. Et miraculeusement, ce sont les trois mêmes chiffres qui sortent. Comme si je décrochais le gros lot à chaque fois. Et c'est le même petit frisson qui me parcourt immanquablement.

Comme je l'ai dit, Marcus ne remarque rien. Pour lui, je suis absorbée par son cours. Ce n'est pas que je me fiche du sujet ou que je n'écoute pas. Je suis suspendue à ses lèvres tout en étant simultanément distraite. Je fais dans le multitâches.

Marcus parle de Kinsey et de la conclusion de cette fameuse étude selon laquelle les femmes ne réagissent pas aux stimuli visuels comme les hommes, et parfois pas du tout. Je m'inscris en faux. Et si Marcus savait l'effet qu'il a sur moi, il en ferait autant.

Il glisse habilement de Kinsey à Freud – un autre vieux pervers qui avait d'étranges idées sur la sexualité féminine – et là, il a lancé ma mécanique à plein régime.

Il écrit CASTRATION sur le tableau. Puis ENVIE DU PÉNIS. Il les souligne deux fois tout en les répétant à voix haute. Et vous vous dites sûrement que c'est le genre de truc qui va démolir mon fantasme de masturbation scolastique, pas vrai ?

Faux.

Voyez-vous, Marcus a une voix qui fait penser au sucre de canne – suave, sombre, riche. Quoi qu'il dise, ça me rend toute moite. Mais les mots qu'il prononce et qui m'excitent vraiment sont les moins sexuels qui soient. Des mots qui ont une sonorité sèche, glaciale et technique, pourtant quand Marcus les prononce, on croirait qu'il dit des obscénités – d'une manière intello.

Surtout ces mots-là :

Abjection.

Catharsis.

Sémiotique.

Sublimation.

Triangulation.

Rhétorique.

Urtext.

Le dernier n'est pas le moindre, c'est mon préféré absolu, celui qui règne sur tous les autres :

Hégémonie.

Quand Marcus parle, c'est avec une autorité si calme qu'il me tient sous son empire et qu'il pourrait me demander n'importe quoi, je le ferais.

Et donc, quand il dit « envie du pénis », je l'entends supplier, ordonner et exiger : « S'il te plaît, baise-moi. »

Et bien qu'il ne me regarde pas, je sais que c'est à moi qu'il parle, et seulement à moi.

Seulement à moi.

Que je sois éprise de Marcus n'a rien à voir avec Jack. J'aime Jack et rien que lui. Marcus, c'est juste un amusement, un petit épisode romantique que j'ai inventé pour me distraire en cours. Un fantasme pédagogique d'homme mûr qui me rend folle de mon prof et qui s'envole de mon esprit dès l'instant où retentit la cloche.

Cette fois, ça ne va même pas aussi loin.

Je regarde les bras noueux de Marcus et ses longues jambes musclées, et j'imagine ce que ce serait de me retrouver prise dans leur étau, le corps entier, comme quand une araignée saisit une mouche pour la dévorer. Je veux que Marcus me saisisse et me dévore de cette manière. Et je me demande si Marcus est capable de baiser avec autant de savoir-faire qu'il parle de psychanalyse, de sémiotique et de théorie de l'auteur.

La question demeure en suspens.

La réponse surgit, inattendue, derrière moi, dans un chuchotement de conspirateur.

– C'est un pervers.

Je me retourne et me trouve face à deux yeux verts pour ainsi dire lumineux, des lèvres pleines et sensuelles incurvées dans un sourire de coquette. C'est ainsi que je fais la connaissance d'Anna. Penchée sur moi depuis le gradin supérieur, elle chuchote à mon oreille sous le nez de Marcus.

Je la connais, bien sûr. Elle est dans ma classe. Anna est blonde, menue et voluptueuse : la fille supersexy qui fait tourner la tête de tout le monde. La fille avec qui tout le monde veut être ami. La fille que tous les gars veulent baiser.

J'ai eu une éducation catholique et on m'a enseigné que le sexe était quelque chose que l'on n'est pas censé rechercher et dans lequel trouver du plaisir. C'est seulement quand j'ai commencé à sortir avec Jack, longtemps après avoir perdu ma virginité, que j'ai cessé d'être déchirée et que j'ai commencé à l'apprécier.

Quand je regarde Anna, je vois quelqu'un qui est à l'aise avec son corps, sa sexualité et le pouvoir qu'ils recèlent. Elle ne semble pas avoir les mêmes problèmes que moi. Elle est séductrice, libre et détendue, toujours prête, le sourire facile. Et elle m'intrigue.

Avez-vous déjà rencontré une personne dont vous vous êtes dit, immédiatement en la voyant ou en l'entendant, que vous alliez être amis ?

C'est ce que j'éprouve avec Anna, à l'instant où elle dit : « C'est un pervers ». Comme si j'entendais ma propre voix, comme si elle savait précisément ce que je pensais. Et le comprenait.

– Comment tu as su ? lui chuchoté-je.

– Comment j'ai su quoi ?

– Que j'ai craqué pour Marcus.

– C'est évident, dit Anna. À la manière dont tu le regardes.

Ce sera ainsi entre nous dorénavant. Un lien secret.

Ce que j'ignorais, c'est qu'elle avait déjà baisé avec lui. Marcus.

Et les rares fois où Marcus croisait mon regard et où je me convainquais qu'il me regardait ?

Eh bien, en fait non.

Il regardait à travers moi.

C'est elle qu'il regardait.

CHAPITRE 3

« Tu vois mon derrière dans le miroir ? »

C'est ce que je dis à Jack dans l'espoir d'attirer son attention.

Il est assis dans le lit un soir, peu après le début du premier trimestre, en train de lire un rapport ou un truc comme ça.

Je viens de sortir de la douche et je suis allongée toute nue, à plat ventre en travers du lit, les bras croisés devant moi et la tête posée dessus pour pouvoir le regarder. Je m'expose à lui comme Brigitte Bardot s'exhibe devant son mari, Michel Piccoli, dans *Le Mépris*. Je sors à Jack des répliques du film pour voir comment il réagit.

C'est un jeu que j'aime jouer. Pas pour mettre son amour à l'épreuve, mais pour jauger le désir qu'il a pour moi.

Il jette un coup d'œil dans le miroir, répond brièvement « oui » et retourne à sa lecture.

Mais il ne va pas s'en tirer à si bon compte.

« Tu aimes ce que tu vois ?

– Pourquoi ? Je ne devrais pas ? il répond sans même lever le nez de sa page.

– Mes fesses, elles ont l'air grosses ?

– Tu as un très beau cul, répond-il.

– Mais est-ce qu'il est gros ?

– Tu as un très beau gros cul.

Il me regarde – moi, pas mon cul –, sourit et retourne à sa lecture.

– Et mes cuisses ?

Je me redresse, caresse ma cuisse juste sous la fesse et, pendant que j'y suis, je l'écarte un tout petit peu pour qu'il puisse apercevoir de derrière ma petite chatte dodue.

– Elles sont super.

Cette fois, il ne regarde même pas.

– C'est tout ? je demande. Juste « super » ?

– Qu'est-ce que tu veux que je dise ?

Je lui pose peut-être les questions, mais qu'il ne croie pas que je vais lui donner les réponses.

– Elles ont l'air grosses ? Grosses comme des troncs ?

– Elles sont juste comme il faut.

Je ne sais pas ce qu'il lit, mais ça l'absorbe – j'aimerais bien l'absorber à ce point.

Je roule sur le dos, gonfle la poitrine, soulève mes seins en les poussant l'un contre l'autre et je les agite un peu.

– Qu'est ce que tu préfères, mes seins ou la pointe de mes seins ?

J'ai la peau encore rougie par la chaleur de la douche et mes aréoles sont roses et rondes. Je frôle mes tétons d'un geste circulaire du pouce jusqu'à ce que je les sente durcir.

– On peut avoir les uns sans les autres ? demande-t-il sans montrer le moindre intérêt.

– Si tu pouvais choisir.

– Si je pouvais choisir entre des tétons sans seins ou des seins sans tétons ? demande-t-il en riant.

– Oui, si tu pouvais avoir une fille plate comme une limande ou une avec des boules tellement grosses qu'elle aurait à peine des tétons ?

– Toi, ou quelqu'un d'autre? demande-t-il. (Mais estimant peut-être que ce n'est pas une conversation dont il a envie, il n'attend pas la réponse.) Je les aime tels qu'ils sont.

Bon sang, Jack, je me dis, fais un peu attention à moi. Regarde donc ce que j'ai là pour toi! Et sur un plateau, en plus. Gratos. Sans rien en échange.

Moins il m'accorde d'attention, plus je m'agace et plus je deviens puérile.

– J'envisage de me raser la chatte, dis-je en glissant les doigts dans les boucles de poils bruns et en tirant dessus.

Je sors cela parce que je sais que ça ne va pas lui plaire, parce qu'il est vraiment rebuté par les filles sans aucun poil.

– Non, répond-il sèchement.

– Pourquoi pas?

Là, j'essaie juste de le provoquer. N'importe quoi, histoire d'obtenir une réaction. Et ça marche.

Il me regarde par-dessus ses genoux, irrité.

Mais il se tait et cela ne change rien, parce que maintenant que je sais que j'ai attiré son attention, je décide de le pousser un peu plus.

– Je vais peut-être le faire quand même, dis-je du ton le plus désinvolte que je peux.

– Non, répète-t-il sur un ton qui signifie que ce n'est pas négociable.

Un ton qui veut dire: fiche-moi la paix.

J'étire les bras au-dessus de ma tête, puis je roule sur le côté, pour le priver du plaisir de voir mes seins et mon entrejambe. Je veux qu'il m'embrasse les fesses. Et je reste allongée en faisant mine de l'ignorer. Comme si cela lui faisait quelque chose.

C'est comme ça entre nous depuis un moment.

Pas de communication. Pas de copulation.

À la maison, Jack est joueur jusqu'à un certain point, mais j'ai beau essayer, je n'arrive pas à l'exciter assez pour aller plus loin. Je n'arrive pas à l'amener à me baiser.

Jack a travaillé dur pendant toutes les vacances d'été au QG de campagne, et maintenant que le premier trimestre a commencé, il a encore plus de travail. Et moins de temps pour moi. Je ne passe même plus le prendre à son bureau.

Avant Jack, aucun homme n'avait réussi à me satisfaire au lit. Jack est tout ce qui fait d'un homme un amant génial – sensible, affectueux, attentif et doux. Je suis dingue de lui.

Quand je regarde Jack, je pense à Montgomery Clift dans *Une place au soleil*: magnifique, la mâchoire carrée, l'essence même du jeune Américain. Du moins, de mon point de vue. Mais ce n'est pas seulement une question d'allure. Quand vous voyez Montgomery Clift à l'écran, il a beau ne rien faire d'autre que de regarder dans le vague, vous voyez que ça travaille sous son crâne. Jack, c'est pareil. Et ça m'excite énormément.

Quand il n'est pas là, je me masturbe comme une folle en pensant à lui. À nous. En train de baiser. À son bureau après les heures de bureau. Sous la table à la cafétéria de l'université. Entre les rayonnages de la bibliothèque. Pas juste des petits mamours avec des gentils câlins et des bisous. Jack me ramone à fond. C'est du sexe violent et brutal.

Il ignore tout de mes fantasmes, parce que je le fais quand il n'est pas là et que nous n'en parlons jamais. Mais c'en est arrivé au point où ma vie sexuelle fantasmée dépasse de loin la réalité.

Nous habitons dans un confortable appartement dont la chambre et le salon donnent sur un couloir. Quand tout se passe bien, c'est comme si nous vivions dans une capsule spatiale, enfermés ensemble à l'écart du monde. Notre intimité semble rendre l'endroit beaucoup plus vaste qu'il ne l'est en fait. Quand ça se passe mal – vraiment mal, pas les petites frictions qui arrivent entre deux personnes qui vivent ensemble depuis longtemps dans un lieu exigu –, l'appartement peut devenir étouffant et vous rendre claustrophobe.

Les soirs comme celui-ci, quand Jack rentre de cours ou du bureau, et qu'il file droit dans la chambre pour continuer ses lectures et n'en bouge pratiquement plus jusqu'à ce qu'il s'endorme, il donne l'impression de s'isoler de moi délibérément et je ne sais pas pourquoi. Je me trouve des raisons de me promener dans l'appartement en sous-vêtements ou toute nue et de m'exhiber devant lui, n'importe quoi pour attirer son attention, éveiller son désir et le forcer à montrer qu'il a envie de moi.

Par exemple, je décide sur un coup de tête que je vais prendre une douche avant le dîner et je me mets en devoir de me déshabiller devant lui. Mais cela ne change rien parce qu'il ne lève même pas le nez, et je me dis qu'il doit être aveugle – aveugle à mon amour pour lui.

Je prends la douche le plus vite possible, parce que je n'en avais ni envie ni besoin au départ, et que ce n'était pas le but de ce petit exercice. Je me sèche, puis je m'enduis de crème et d'huile afin d'en sortir toute luisante et resplendissante. Et j'arrive toute nue, dans un nuage de jasmin. Et les jeux commencent.

Quand nous n'avons pas baisé depuis un moment, j'ai une odeur suave. Comme une pomme mûre ou une pêche, juteuse et prête à être mangée. Prête à être dévorée jusqu'au trognon. Je sais que Jack sent mon odeur, mais je me demande toujours si les autres la sentent aussi. Si non, comment est-ce possible? Peut-être qu'ils se disent simplement que c'est une lotion ou un parfum. Savent-ils que je suis prête, mûre et dispose ? Et que je reste sur ma faim ?

Ce soir, Jack s'endort sur le lit tout habillé, les documents qu'il lisait éparpillés sur sa poitrine. Je les ramasse et l'enveloppe dans une couverture pour ne pas avoir à le réveiller.

Je reste sur ma faim une fois de plus et je me touche en imaginant Jack tel que je veux qu'il soit, tel que je veux qu'il réagisse.

Je suis allongée sur le lit, à plat ventre, et je dis :

– Tu vois mon derrière dans le miroir ?

Il jette les papiers par terre, se penche sur moi, saisit mes fesses à deux mains et m'embrasse le cul.

– Pas besoin de miroir, dit-il en posant la tête sur mon cul comme sur un oreiller et en me regardant avec un sourire narquois.

– Et mes cuisses, tu les aimes ? Elles ne sont pas trop grosses ?

Il remonte avec les doigts le long de l'arrière de ma jambe, puis il plonge à l'intérieur et m'écarte les jambes. Je ne résiste pas.

– J'adore tes cuisses, dit-il. Je les préfère quand elles sont croisées derrière ma tête.

Il glisse les doigts entre mes jambes.

– Hé, gloussé-je. Ça chatouille.

Je me dérobe en roulant sur le dos, en faisant mine de ne pas me laisser faire, mais en réalité, je lui offre ce dont il a envie.

– Et mes seins ? demandé-je en les rehaussant pour qu'il les voie bien.

– Chaque fois que je les vois, ils m'emplissent de joie, dit-il en riant, avant de se jeter sur moi, de m'engloutir un sein dont il agace le téton de la langue et des dents.

– Et ma toison ? demandé-je. Tu la trouves comment ?

– Douce comme une fourrure soyeuse, ronronne-t-il. J'adorerais pouvoir me cacher dans tes poils.

Il y enfonce ses doigts, tandis que son pouce explore mon entrejambe, se glisse le long de ma fente et appuie sur ma chatte. Je mouille à son contact.

Il enfouit son visage entre mes cuisses. Je passe mes jambes par-dessus ses épaules, mes mollets contre son dos, pour l'attirer contre moi.

Ses doigts tirent sur les boucles de ma toison, son pouce appuie sur ma motte, ses lèvres m'embrassent et me caressent. Je sens son haleine brûlante sur mon bas-ventre et sa langue, qui me lèche, râpeuse. Je sens que je m'ouvre à lui. J'ai envie qu'il s'enfonce encore.

Je glisse mes doigts dans ses cheveux, je le plaque contre moi tout en me cambrant et en ondulant des hanches.

Il me pénètre. Je gémis et le serre encore plus.

Il me titille. À l'intérieur.

Je hurle de plaisir parce que je veux qu'il sache le bien qu'il me fait. Tout repose sur le mouvement. À condition de toucher le bon endroit.

Cet endroit-là.

Oui, là.

N'arrête pas.

Sans répit jusqu'à ce qu'il me prenne à fond.

Et je le laisse me prendre.

Jack est profondément endormi à côté de moi, mais j'imagine sa langue en moi qui m'entraîne sur l'autoroute de l'extase. J'imagine sa langue, mais ce sont mes doigts qui font tout le boulot. Je fonce sur la voie rapide, je me précipite vers le virage, je le sens qui arrive.

Je le sens.

Il est sur moi.

Je prends le virage.
Mon corps est ébranlé, secousse après secousse.
Je crie son nom, mais il ne m'entend pas.

CHAPITRE 4

Je suis assise en cours en attendant qu'Anna arrive. Mais elle est en retard.

La seule chose que Marcus ne tolère pas, ce sont les traînards. Si un étudiant arrive après le début du cours, il se lance dans un numéro compliqué, destiné à le mettre mal à l'aise au point qu'il ne recommence pas. Il s'arrête de parler à la seconde même où il entend la porte de l'amphithéâtre s'ouvrir. Pas à la fin de sa phrase, mais au milieu d'une syllabe. Il tourne la tête et fixe la porte en attendant que quelqu'un entre.

D'un regard inflexible, il suit le retardataire qui se faufile à l'intérieur et cherche une place. Il est tellement énervé qu'on voit presque de la vapeur sortir de ses oreilles. Mais il a toujours l'air mignon à cause de ses fossettes – ses cheveux noirs et ses fossettes – qui lui donnent l'air de sourire, même quand il est vraiment furibard. Pourtant, quand le retardataire a trouvé une place et qu'il s'est installé, son bloc-notes devant lui et son stylo à la main, ça ne s'arrête pas là. Oh, que non !

Marcus reste silencieux, les mains posées sur son bureau, penché sur ses notes. Presque comme s'il espérait que quelqu'un fasse du bruit et lui donne un prétexte pour exploser. Mais personne n'est assez imprudent pour ça.

Nous restons figés dans un silence respectueux et, quand il estime avoir torturé suffisamment la classe, et seulement à ce moment-là, même si cela a pris du temps, il reprend son cours exactement à la syllabe où il l'avait laissé.

Anna est toujours en retard. Je ne l'ai jamais vue être absente ou manquer un cours complètement, mais elle n'arrive jamais à la même heure. Tantôt c'est juste après le début, ou en plein milieu. Aujourd'hui, c'est comme d'habitude, Anna arrive avec cinquante-deux minutes de retard, soit moins de dix avant la fin du cours, au moment où j'ai pratiquement perdu tout espoir de la voir. Elle entre avec toute la désinvolture du monde. Marcus lève le nez, la voit et continue comme si de rien n'était.

Et ça se passe toujours comme cela quand Anna arrive en retard. Je me suis toujours demandé pourquoi elle avait droit à un traitement de faveur.

Alors un jour, je lui pose la question.

« Marcus et moi avons un arrangement, dit-elle. Je lui rends un service et il m'en rend un. »

C'est comme cela que nous sommes devenues copines, Anna et moi. Par le biais de Marcus. Notre obsession partagée. Mon secret. Son amant.

« Quel genre d'arrangement ? je fais.

– Eh bien, répond-elle, disons que Marcus a des besoins particuliers… »

Je me demande ce que ces besoins particuliers peuvent être.

Marcus demande-t-il à Anna de lui lécher les couilles pendant qu'il déconstruit *Les Quatre Cents Coups* ? Ou bien la prend-il par-derrière tout en débitant des citations de *Qu'est-ce que le cinéma ?* d'André Bazin ? Aime-t-il qu'Anna glisse un doigt dans son anus pendant qu'il débat des tenants et aboutissants de la théorie de l'abjection ?

J'ai hâte qu'elle me le confie. Il y a tellement de détails que je voudrais faire cadrer avec mes fantasmes sur ce qui excite Marcus et sa manière de baiser. Et je suis convaincue que la réalité est beaucoup mieux que ce que je pourrais imaginer.

Alors, après le cours, nous emportons des cafés dehors sur un banc pendant que les étudiants s'affairent autour de nous. Nous sommes assises sous un arbre, à l'abri du soleil de la mi-matinée déjà haut dans le ciel, car Anna a le teint pâle et tient à le garder.

– Je rougis facilement, explique-t-elle.

– Bon, dis-moi ! Il faut que je sache, parce que ça me rend dingue ! C'est quoi, le truc pervers de Marcus ?

– Il aime faire ça dans le noir.

Je suis atterrée. Marcus est tellement normal que c'en est déprimant.

– Je croyais que tu avais dit que c'était un pervers. Ça ne fait pas très pervers, ça.

– Attends, laisse-moi finir. Dans un placard. Il aime faire ça dans un placard. (Je ne suis toujours pas convaincue et je fais une petite moue.) Il est vraiment timide, ajoute-t-elle, sentant ma déception. (Marcus a une grande armoire et, comme tout le reste dans son appartement – qui est immense, faiblement éclairé et sans la moindre décoration –, elle est vieille, usée, une antiquité.) Il n'y a rien de confortable chez lui, pas de divan, de coussins, d'oreillers, de tapis. Même pas de rideaux aux fenêtres.

– Même pas de lit ?

– Il dort sur un matelas à même le sol, mais on n'a jamais baisé dessus. Et j'ai ouvert le frigo une fois, il était presque vide. Tout ce que j'y ai trouvé, c'était du thé. Pas en feuilles, en sachets. Une grosse boîte familiale. Pas de lait.

Si l'appartement de Marcus manque de meubles et de nourriture, me dit Anna, il y a quelque chose en abondance : des journaux et des livres.

– Il y a des bouquins entassés dans le moindre espace libre, des rayonnages du sol au plafond. Ils sont méticuleusement classés par thème : cinéma et sexe, art et religion, psychologie et médecine. Et quand il n'a plus eu de place, il a commencé à les empiler par terre, sur les tables, les fauteuils, comme ces gens qui accumulent et remplissent le moindre espace libre chez eux. En plus, là où il n'y a pas d'étagères, il y a des peintures sur les murs. Des œuvres érotiques. Rien de très pornographique. Juste des images cochonnes un peu bizarres.

Elle me parle de photos floues de couples en train de baiser qui ressemblent à des tableaux de Francis Bacon. Des scènes de rues où figurent des prostituées. Des dessins humoristiques salaces. Des choses qui ne semblent même pas érotiques du tout – d'immenses collages de coupures de journaux et de magazines : visages, lieux et objets –, mais qui ont clairement pour Marcus une fonction érotique. Et des images qui ne peuvent pas être prises pour autre chose que ce qu'elles sont.

Anna me dit qu'il y a en particulier deux peintures qui ont éveillé son intérêt plus que les autres. Elles sont accrochées côte à côte dans une petite alcôve de l'entrée, visibles dès qu'on franchit le seuil, et chaque fois qu'elle va voir Marcus, elle reste un moment à les regarder.

L'une représente deux femmes allongées côte à côte, dont les courbes évoquent la forme de lèvres. Elles portent toutes les deux des jarretelles et des bas, et ont des seins ronds dressés avec des tétons rouge cerise.

– L'une d'elles porte un voile noir et elle te ressemble, me dit Anna.

– Comment ça ?

– Une brune, avec un sourire suave et sexy, précise-t-elle avec un clin d'œil.

Elle flirte avec moi et je ne sais pas comment le prendre. Je me sens rougir et j'espère qu'elle ne le remarque pas.

– L'autre, continue-t-elle, n'a pas de tête. Là où elle devrait se trouver, il y a deux bras qui surgissent du fond noir du tableau et qui tiennent ses tétons comme des pinces de crabe.

Elle me dit que la seconde peinture est tellement bizarre qu'elle est difficile à décrire. Au premier abord, on dirait trois corps féminins en bas résille engagés dans une sorte de partie fine triangulaire. Mais quand on y regarde de plus près, on voit des organes masculins mélangés aux féminins. Des organes sexuels et des membres qui surgissent à des endroits où ils ne devraient pas. C'est tout en désordre et un peu dérangeant, précise Anna, comme si on regardait un corps unique composé de plusieurs autres, une créature d'un sexe indéterminé.

Tandis qu'elle me parle du tableau, je commence à me dire que depuis le début, la sexualité de Marcus reste un mystère pour moi, mais que je ne me suis jamais vraiment posé de questions sur son orientation, que je n'y ai même jamais songé.

– Il est gai ou bi ? bafouillé-je.

– Oh, non ! proteste Anna. Je ne crois pas. Il est juste vraiment très étrange.

Pas de doute là-dessus. Une maison sans meubles ni nourriture, mais remplie de livres, de journaux et d'imagerie érotique. On dirait que Marcus trouve le réconfort dans l'austérité. Ou que son cerveau est si occupé qu'il n'a pas le temps de s'occuper de son corps. Et cela ne me gêne pas, parce que je veux que ce soit avec sa cervelle qu'il me baise.

Anna me dit que chaque fois qu'ils se voient, soit deux fois par mois, c'est toujours le même scénario. Marcus a planifié le moindre détail et tout doit être exécuté à la lettre, comme un rituel.

Elle a pour consigne d'arriver à une heure précise.

– Je ne dois pas être en retard, explique-t-elle. Pas même une minute ou trente secondes. Je suis toujours pile à l'heure pour ses séances privées. Et j'ai une clé de chez lui pour pouvoir entrer.

À présent, je comprends pourquoi elle est toujours en retard au cours de Marcus.

Juste pour le faire chier.

– Marcus est déjà là quand j'arrive, continue-t-elle. Dans la pièce du fond. Dans l'armoire. La porte est fermée. Et il est tellement silencieux et immobile que tu pourrais croire qu'il est pas là, qu'il y a quelqu'un dans la pièce. Les lumières sont éteintes. Il fait sombre, mais il y a juste suffisamment de clarté pour voir.

Elle dit qu'il y a deux trous dans la porte de l'armoire, comme si deux nœuds de bois en étaient tombés. Un petit et un gros. Un à hauteur du visage, l'autre plus bas.

– Marcus m'a juré que c'était comme ça quand il l'a achetée, dit Anna. Mais je ne le crois pas.

Quand Anna arrive, elle doit porter la tenue que Marcus lui a demandé. Les mêmes vêtements chaque fois.

– Comment il te demande de t'habiller ?

– Devine.

C'est un petit jeu auquel on aime bien jouer, Anna et moi.

– En infirmière ?

– Non.

– En collégienne ?

– Non, non.

– En pute ?

– Tu refroidis.

– OK, je donne ma langue au chat.

– Comme sa mère ! glousse-t-elle.

Je la regarde, bouche bée, et Anna ne peut s'empêcher d'en rajouter. Elle me dit qu'elle doit porter une robe ample à fleurs, des souliers plats, des bas couleur chair et une culotte vraiment énorme qui a l'air et la texture d'une ceinture de chasteté en polyester. Elle s'habille comme la mère de Marcus, dans des vêtements qui étaient à elle. Des vêtements que la mère de Marcus possédait depuis les années cinquante, qu'elle a portés jusqu'à sa mort, mais qui ont l'air toujours parfaits et tout neufs, comme s'ils venaient d'être achetés.

– Ça commence à être assez pervers pour toi ? Trop ? demande-t-elle en souriant.

– Ça commence…

Parce que Marcus a un peu moins l'air de Jason Bourne, ce qui est une bonne chose. Il paraît moins tel que j'imagine que Jason Bourne baiserait. Avec les lumières éteintes et en gardant ses chaussettes. Dans la position du missionnaire. Comme un vrai homme.

Et il apparaît de plus en plus comme Norman Bates, ce qui est encore mieux, parce que je suis tombée raide dingue d'Anthony Perkins la première fois que je l'ai vu dans *Psychose*, avec son petit air bon chic bon genre. Le visage mince, osseux. Ces pommettes. Ces cheveux d'un noir de jais luisant, impeccablement coupés et coiffés. Ces yeux bruns et troubles. Ce sourire. Tellement sexy. Le simple fait de savoir que derrière cette façade se cachait un assassin complètement dément le rendait encore plus délicieux. On dirait que Marcus est complètement soumis à une fixation sur sa maman, exactement comme Norman Bates ou Charles Foster Kane.

– Pour résumer, dis-je à Anna, tu es dans la pièce, habillée comme une femme au foyer bien mise des années cinquante, tout droit sortie d'un épisode de *La Quatrième Dimension*, et Marcus est dans l'armoire, porte fermée, l'œil collé à l'un des trous, à te regarder.

– Voilà. Et je fais exactement ce qu'il me demande. Je lui tourne le dos et je commence à me déshabiller, en enlevant chaque vêtement dans l'ordre et de la manière qu'il a demandé.

– Exactement la même à chaque fois ?

– C'est obligé. Chorégraphié à la seconde près. J'ai l'impression d'être comme une hôtesse de l'air qui fait la démonstration des procédures de sécurité. Et j'ai répété ce manège tellement souvent, maintenant, que je me le suis approprié, en l'agrémentant de petites fioritures de mon cru, des trucs que je me suis dit qu'il aimerait.

Anna n'est pas avare de détails et, en l'écoutant, je m'imagine très bien la scène.

D'abord, elle enlève la robe, qu'elle déboutonne dans le dos, fait glisser de ses épaules, l'une après l'autre, et laisse tomber par terre, puis elle l'enjambe, regarde par-dessus son épaule à ses pieds pour être sûre que la robe ne se prend pas dans les chaussures. Ensuite, elle dégrafe son soutien-gorge et le remonte sur sa poitrine pour que ses seins en sortent et tombent dans leur position naturelle en rebondissant un petit peu. Après quoi, elle pousse les épaules en avant pour que les bretelles tombent.

« Il aime voir le soutien-gorge glisser sur mes bras, dit-elle. Et ensuite me voir le rattraper et l'enlever complètement. »

J'imagine Anna nue jusqu'à la taille, avec ses souliers et ses bas couleur chair encore attachés aux jarretelles, mon regard s'attardant sur ses fesses et ses seins ronds avec leurs tétons couleur saumon.

Il n'y a pour moi qu'une seule chose qui cloche dans ce fantasme, le fantasme de Marcus. Elle porte une gaine démodée qui couvre les quatre cinquièmes de son cul et laisse tout juste apparaître cette immense culotte en polyester avec cette large couture à soufflet qui emprisonne et maintient ses fesses comme du caoutchouc. C'est simplement ainsi que l'apprécie Marcus, mais pour n'importe qui d'autre, c'est un support de masturbation pratiquement nul.

« Il aime bien que je tende une jambe et que je me penche dessus pour dégrafer les jarretelles, continue Anna. Que je sois complètement penchée pour qu'il puisse voir mes seins qui pendent. Je fais sauter les jarretelles l'une après l'autre de ma cuisse, puis j'agite mon popotin tout en faisant glisser la gaine pour l'enlever. »

Ensuite, elle fait descendre cette énorme culotte si peu flatteuse, mais lentement, car, précise-t-elle, « Marcus est branché fesses et pour lui, tout repose sur ce long moment aguicheur ».

Elle n'est pas censée aller plus loin. Marcus veut qu'elle garde les bas et les souliers. Et un long rang de perles noires et blanches alternées qui pend entre ses seins.

« Ce sont les perles de sa mère », dit-elle.

Pendant qu'elle fait tout ça, elle n'a pas le droit de regarder dans sa direction.

– Marcus est très strict là-dessus, ajoute-t-elle. J'ai regardé en douce vers l'armoire, une fois. J'ai vu cet œil énorme collé à la porte, encadré par le trou irrégulier dans le bois. Et je crois qu'il m'a surprise, parce qu'il ne savait plus où regarder. L'œil était gêné. Il s'est agité de tous les côtés, a scruté frénétiquement la pièce, cherchant un endroit où se cacher. Et ce n'était pas Marcus. Je ne l'ai pas vu comme Marcus. C'était juste un œil dans une longue fente dans le bois. Et ça m'a tellement troublée que je n'ai plus jamais regardé.

– Alors il aime regarder, mais pas qu'on le regarde, dis-je.

– C'est le seul moyen pour lui de bander vraiment, ajoute-t-elle.

Je songe au docteur Alfred Kinsey, car d'après ce que je sais, il n'arrivait à s'exciter que d'une seule manière lui aussi. C'est ce qu'on ne montre pas dans le biopic. Kinsey aimait s'enfoncer des trucs dans le zizi. Des trucs qui n'avaient rien à y faire. Des objets qui n'y rentraient pas forcément. Des choses qui n'apparaissent nulle part dans les données qu'il a méticuleusement compilées, classées, cataloguées et analysées. Herbe, paille, cheveux, poils. N'importe quoi du moment que c'était long et flexible et que cela chatouillait.

J'écoute ce que raconte Anna et je me rends compte que mon fantasme de baiser avec Jack dans le bureau de son patron est bien fade. Mais Anna n'en a pas encore fini.

Une fois qu'elle est en sous-vêtements et qu'elle a soigneusement plié les vêtements sur une chaise, c'est seulement à ce moment-là qu'elle a le droit de se retourner et de regarder.

Ce qu'elle voit alors, c'est le pénis érigé de Marcus, qui sort lentement par le trou inférieur de la porte de l'armoire, comme un escargot qui émerge de sa coquille.

– Je pousse un petit cri, dit-elle, ainsi que Marcus me l'a demandé : un mélange parfait d'horreur, de surprise et de ravissement.

Elle reste là, clouée sur place, médusée, bouche bée, jusqu'à ce que tout le membre soit sorti, puis que les testicules sautent hors du trou et pendent le long de la porte.

– Quand sa bite commence à tressaillir, dit-elle, comme si elle me faisait signe, je m'assois devant et je la lèche comme on lèche de la crème glacée fondue qui coule le long d'un cornet. J'imagine que je lèche des gouttes de crème glacée à la cerise.

– C'est juste des préliminaires, on est bien d'accord ? je demande.

Je tiens à être certaine, parce que tout semble très compliqué.

– Oui, dit Anna, juste des préliminaires.

Bien qu'elle soit juste de l'autre côté de la porte, dit Anna, Marcus ne fait pas un bruit. Elle ne l'entend même pas respirer. Pas de petits halètements excités pour lui faire comprendre qu'elle s'y prend bien, juste de petits tressaillements de la bite qui sursaute légèrement hors de la portée de sa langue.

– Comme le genou qui bouge brusquement quand le médecin le frappe avec son petit marteau, dit-elle.

– Alors comment tu sais quand t'arrêter, pour qu'il ne jouisse pas ?

– La porte s'ouvre, répond-elle. Ça fait presque peur.

J'imagine une porte qui s'ouvre en grinçant dans l'un de ces vieux films de fantômes en noir et blanc qui passent à la télé au milieu de la nuit, et il n'y a personne derrière, juste des ténèbres d'un noir d'encre.

– C'est le signal pour que j'y entre, dit-elle. Et je sens mon pouls s'accélérer à chaque fois, même si je sais exactement ce qui va se passer et qui est derrière la porte.

Elle entre dans l'armoire et referme la porte derrière elle. À présent, elle ne peut plus rien voir, parce que Marcus a bouché les trous avec du papier de soie pour qu'aucune lumière ne puisse pénétrer.

– Il faut un certain temps pour que mes yeux s'habituent à l'obscurité, poursuit-elle. Et quand bien même, tout ce que je vois, ce sont des ombres dans l'obscurité, qui bougent comme des nuages de vapeur et qui ressemblent à des hallucinations.

– Elle est grande comment, l'armoire ? Ça ne te rend pas claustrophobe ?

– Assez grande pour que mes pieds soient la seule partie de mon corps qui touche les côtés, dit-elle. C'est effrayant la vitesse à laquelle je perds la notion de l'espace autour de moi. Et il fait superchaud là-dedans, une chaleur humide, comme dans un hammam, parce que Marcus a déjà absorbé une grande partie de l'air et que je commence à transpirer à peine je suis à l'intérieur.

– Et ensuite? demandé-je avidement.

– Ensuite, je sens sa main moite sur mon sein. On pourrait croire que ça me fait peur, mais en fait, ça m'excite vraiment. Carrément. D'être touchée comme ça, par quelqu'un que je ne vois pas, dans un espace confiné.

C'est ce qui rend tout le reste supportable, les ennuyeux préambules que Marcus exige qu'elle exécute à la lettre.

– De toute façon, dit-elle, une fois qu'on est dans l'armoire, dans le noir, la porte fermée, et qu'il a amorcé le contact physique, il n'y a plus de règles. Il n'est plus timide. Marcus baise comme un dingue, comme une bête, comme quelqu'un de complètement différent. Et l'armoire oscille.

– Mais de combien de manières on peut baiser dans une armoire? je m'interroge à voix haute.

– Tu serais surprise, dit Anna. Nous avons dû passer en revue la totalité du *Kama Sutra* cinq ou six fois, depuis le temps. Une fois, il m'a baisée tellement violemment que l'armoire est tombée. Contre la porte. On était pris au piège à l'intérieur. Marcus s'en fichait. Ça l'excitait même encore plus. On a baisé pendant des heures. Après quoi, il a défoncé le dessus et on est sortis, tout nus et couverts de bleus.

Une fois qu'ils sortent de l'armoire, il reste à Anna une dernière tâche à exécuter. Elle doit le laver. Et donc, ils passent dans la salle de bains.

Elle me dit que c'est une vieille salle de bains avec du carrelage au sol et des murs dont la peinture s'écaille avec l'humidité. Marcus a une baignoire à l'ancienne en céramique qui ressemble à un canot pneumatique, avec une douche au-dessus au bout d'un long tuyau en acier.

« Marcus ne prend que des douches, jamais de bain, dit-elle.
– Pourquoi ?
– Il m'a dit qu'on pouvait se noyer dans une baignoire. »

Je ne relève pas, mais je me demande si elle se rend compte qu'il a cité Cassavetes.

Une fois qu'ils sont dans la douche, Anna savonne Marcus, lui frotte vigoureusement le dos, la poitrine, les cuisses, les aisselles et derrière les testicules. Mais après qu'elle l'a séché avec une serviette, il sort de la salle de bains sans dire un mot. Il la laisse seule se rhabiller et se maquiller. Et quand elle a terminé, elle s'en va.

« C'est comme ça que ça se passe toujours, conclut-elle. Immanquablement. Et jamais autrement. Tu as déjà baisé dans une armoire ? demande-t-elle, l'air de rien.

Je suis forcée de lui avouer que non, jamais. Et après avoir entendu tout ça, je me sens tellement ordinaire que c'en est déprimant. »

Nous restons assises sous l'arbre quelques minutes sans rien dire. C'est là que me vient à l'esprit une réplique de Marlon Brando dans *Le Dernier Tango à Paris,* une phrase improvisée que j'ai toujours adorée dans le monologue qu'il prononce devant la dépouille de sa femme défunte gisant dans un cercueil :

« Ta mère est passée par là ! »

Et si c'est ce qui plaît à Marcus, ça ne me gêne pas. Parce que beaucoup de grands hommes ont fait une fixation sur leur maman.

J'enregistre tout ce qu'Anna m'a raconté. Je bois une gorgée de mon café et je frissonne en me rendant compte qu'il est pratiquement froid depuis tout le temps que nous sommes là.

« J'ai gâché tous tes rêves ? demande Anna. J'espère que non. En dehors de ça, Marcus est vraiment plutôt adorable.

– Oh, non, je réponds. Absolument pas.

À présent, j'ai envie d'en savoir plus. Maintenant, j'ai l'impression de pouvoir lire dans Marcus comme dans un livre ouvert et d'y trouver quelque chose de nouveau à chaque page. J'aimerais bien que Marcus m'apprenne ce que c'est d'être pervers.

C'est alors que je me rends compte qu'Anna aussi pourrait m'en apprendre beaucoup sur le sujet.

Plus je la connais, plus je tends à considérer Anna comme la meilleure amie qui soit, celle qui vous comprend, vous et tout ce qui vous tourmente. Je peux tout lui dire et elle peut m'expliquer précisément ce que j'éprouve et pourquoi. C'est comme deux têtes qui partageraient un seul cerveau et une seule conscience. Parfois, elle termine mes phrases avant même que je les aie commencées.

Nous sommes parfaitement complémentaires. On pourrait dire que nous étions faites l'une pour l'autre. Nous devenons intimes si rapidement que les gens disent que nous pourrions être sœurs. Je ne le vois pas moi-même. Anna me surpasse dans la plupart des domaines. Elle est tout ce que je ne suis pas.

Elle est la beauté. Je suis le cerveau.

Je suis la fille intelligente. Elle est celle que tout le monde apprécie.

Elle me fait rire, tout simplement. Elle n'a pas de filtre entre son cerveau et sa bouche, comme la plupart des gens. Elle peut regarder un gars au hasard en cours, sans raison, et dire un truc aussi mignon et déplacé que :

« Je me demande s'il est circoncis ou pas. »

Et : « Je dirais qu'il porte à gauche. »

Ou : « Je parie que son sperme a un goût de gelée de citron. »

Mais elle ne trouve pas ça déplacé du tout. Pour elle, c'est juste quelque chose qui doit être dit à cet instant précis. Elle est tout à fait pure et sans complications de ce côté-là. Pour elle, le sexe est un comportement aussi naturel que de respirer.

Anna et tout ce qui a trait à elle me passionnent tellement, que je trouve un prétexte pour que Jack vienne me chercher à l'université afin que nous puissions déjeuner ensemble. Parce que je veux qu'il fasse la connaissance de ma nouvelle meilleure amie. Je suis fière de les présenter l'un à l'autre. Mais cela ne se passe pas tout à fait comme prévu. Jack est tellement intimidé par Anna qu'il arrive à peine à la regarder dans les yeux ou à prononcer trois mots. Puis il reste là pendant que je fais les frais de la conversation. C'est gênant. Il trouve rapidement un prétexte pour s'en aller.

Quand je rentre à la maison ce soir-là, je joue à notre petit jeu, bien décidée à ce qu'il me dise ce qu'il pense vraiment d'elle.

« Tu as bien aimé Anna ?

– Elle est sympa, dit-il.

– Tu la trouves mignonne ?

– Ouais.

– Si tu n'étais pas avec moi, tu voudrais être avec elle ?

– Je ne pense pas que je sois son genre.

– Tu n'as pas répondu à ma question, dis-je.

– Si, j'ai répondu.

– Mais elle, c'est ton genre ?

– Elle pourrait.

– Elle a de beaux seins, tu ne trouves pas ?

– Oui, c'est vrai.

– Tu aimes bien son beau cul rond et ferme ?

– Où tu veux en venir ? demande-t-il, agacé.

– Eh bien, tu aurais envie de la baiser ? le taquiné-je.
– Peut-être, dit-il.
Mais ce n'est pas la réponse que je veux.

CHAPITRE 5

Marcus nous a donné comme devoir une projection de *Belle de Jour*, le film de Luis Buñuel avec Catherine Deneuve.

Je ne l'ai jamais vu. Je ne sais rien sur le sujet. Je n'ai aucune idée préconçue.

Je prends place dans le cinéma du campus, je ne suis pas seule, mais quand les lumières baissent et que la pénombre s'installe autour de moi, c'est tout comme. C'est comme ça que j'aime découvrir un film. Dans une salle, dans le noir, comme une communion en tête à tête entre moi et l'écran. Comme quelque chose qui approche de la silencieuse contemplation que l'on éprouve quand on reste planté devant un tableau grandiose qui vous cloue le bec.

Je m'installe pour regarder un film et je m'attends à être transportée de la réalité dans un autre univers. Je m'attends, à tout le moins, à être divertie, peut-être captivée, voire déçue. La dernière chose à laquelle je m'attends, c'est de me voir à l'écran.

Croyez-moi, je ne me berce pas d'illusions. Je sais que je ne suis pas la star du film, bien que j'aie le même prénom que sa vedette. Mais quelque chose, d'une certaine manière, quelque chose me relie profondément à ce film. Même si je n'ai qu'une seule chose en commun avec son héroïne, une grande bourgeoise française frigide qui nourrit secrètement des désirs sexuels masochistes.

Son prénom, Séverine, est le féminin du prénom latin Sévère. Imaginez devoir mener votre vie entière avec des gens qui décident qu'ils ne vous aiment pas avant même de vous connaître. Simplement en entendant votre prénom. Séverine. Sévère. Austère.

Imaginez accabler un enfant dès la naissance avec un prénom pareil. Autant l'appeler «Plate».

Vraiment plate.

Et si encore ce prénom n'allait pas au personnage de Catherine Deneuve dans le film de Buñuel. Mais, de fait, il n'y a pas de prénom qui lui aille mieux, car, en toute franchise, elle n'est pas fun du tout. Elle est glaciale et privée de toute qualité qui pourrait vous la faire apprécier, dépourvue de presque tout ce qui la rendrait humaine. Tout, sauf ses fantasmes morbides d'humiliation et de punition. Parce que vous n'êtes pas censé l'apprécier ni même vous identifier à elle.

Et pourtant, je ne sais pas pourquoi, mais moi, je m'identifie à elle.

Séverine. Plate. Vraiment plate. Mariée depuis un an, elle n'a jamais laissé son mari la baiser. Mariée depuis un an, elle ne veut même pas qu'ils couchent dans le même lit. Mariée depuis un an et il ne l'a même pas vue nue. Son mari : dévoué, protecteur, fiable et tellement, tellement compréhensif.

Séverine. Une vierge dans la réalité, mais une pute dans son imagination. Et c'est son imagination qui la fait s'égarer.

Rappelez-vous. L'intrigue, toujours subordonnée au personnage.

Séverine, toujours esclave de ses désirs, ne les maîtrisant jamais, dérive dans le film comme en transe. Elle dérive dans sa vie comme si c'était un film. Jusqu'à ce qu'un ami de son mari, un homme plus âgé, vicieux et pervers, qui semble la percer à jour, lui fourre dans la tête qu'il existe un endroit où des femmes comme elles – frustrées, immorales, insatiables – peuvent assouvir leurs fantasmes en privé et conserver leur réputation en public.

Un bordel.

Il lui donne même l'adresse. Alors elle se rend au bordel, où elle reçoit un nouveau nom, pour déguiser son identité. Quelque chose qui a une consonance exotique. Pas Séverine. Quelque chose qui séduira les clients.

Belle de Jour.

C'est censé être le nom d'une fleur qui ne s'épanouit que la journée, mais on peut aussi entendre « belle en plein jour » ou « beauté du jour ».

Moi, ça me fait surtout penser à « plat du jour ».

Peut-être que c'est ainsi que Buñuel l'entendait aussi. La femme qui a tout et ne désire rien, réduite à être le plat du jour sur le menu d'un bordel. La petite blague de Buñuel. Sa petite humiliation. Elle est toujours la spécialité du jour, quel que soit le jour. Le plat qui ne change jamais et qui n'a rien de spécial du tout.

La seule chose spéciale en elle, c'est sa beauté qui, bien que divine et transcendante, est au final sans aucune valeur, car son unique fonction est de faciliter sa transition vers le statut de putain, à l'amoindrir.

Elle est la saucisse purée. Tous les jours.

Elle me fait penser à Kim Kardashian.

Une saucisse purée. Habillée en Hermès et en Gucci.

Et très vite, dans ce bordel, avilie et diminuée, Séverine se soumet à ses désirs, jusqu'au dernier : ses rêves se superposent désormais à la réalité. Et très vite, ses rêves surpassent sa réalité.

C'est là que j'entre en scène.

Assise dans la salle, je regarde le film et je me reconnais.

Enfin, je n'ai aucune envie de me prostituer. Pas même en secret. Ce n'est pas ce que je veux dire.

Ce que je veux dire, c'est que je reconnais quelque chose en moi de Séverine, aussi improbable que cela puisse paraître : si éloignées que nous soyons en termes de milieu, de tempérament et de personnalité, il y a quelque chose qui nous unit l'une à l'autre.

Je ne suis pas une prude. Et je ne suis pas non plus masochiste – du moins, je ne crois pas –, mais les fantasmes de Séverine réveillent en moi un point sensible. Sa réalité, moins.

Assise dans la salle, mon imagination prend le dessus. Je regarde le film et je comble les vides. Et très vite, je ne sais plus où finit le film et où commencent mes fantasmes.

Quand le film est terminé et que je sors de l'obscurité dans le soleil de l'après-midi, j'ai l'impression de marcher sur un fil. Je vacille au bord d'un précipice et j'ai du mal à garder mon équilibre. Je suis ébranlée. Je ne sais pas ce qui m'est arrivé. Je suis totalement désarçonnée. Je n'arrive pas à savoir si j'ai été saisie par un délire, ou si la folie s'est emparée de moi. Je sais seulement que je ne veux pas que ce fantasme cesse. Je n'ai jamais imaginé prendre du plaisir de cette manière et maintenant que j'ai commencé, je veux continuer.

Je rentre chez moi transie, en pilotage automatique, tout en refaisant défiler les scènes dans ma tête. J'oublie où je suis et je me rends compte que je suis revenue dans le film.

Je suis sous les branches basses d'un sapin, retenue contre ma volonté par l'homme que j'adore. Entravée, battue et violentée sur son ordre par deux brutes, sous ses yeux indifférents à mes souffrances.

Mes mains sont ligotées par une corde grossière et tirées si haut au-dessus de ma tête que les muscles de mes bras sont tendus et me brûlent. Mes pieds griffent le sol qui oscille sous moi. Ma robe qui a été déchirée pend à ma taille comme un pétale fané. Mon soutien-gorge est défait sur mes épaules et la fermeture frôle mes tétons et les durcit.

Des lanières de cuir me fouettent le dos et mordent dans mes chairs ; l'une après l'autre, rapidement, dans un rythme cruel qui m'hypnotise. J'entends le claquement de la lanière, puis… la brûlure. Le claquement. Puis la brûlure. Aussi inévitable que l'éclair qui suit le tonnerre, le plaisir succède à la douleur. De plus en plus intense avec chaque coup, jusqu'à ce que les deux, plaisir et douleur, soient intolérables. L'adrénaline jaillit en moi.

Je tourne le coin d'une rue.

Je suis encore à mi-chemin de la maison et je suis chaude comme la braise.

À la rue suivante, je suis de retour dans le film, cette fois dans le bordel, où je m'apprête à recevoir l'enseignement des plaisirs du désir criminel auprès d'un proxénète avec une canne et des dents en or, qui a des airs de brute.

Si l'habit fait le moine, cet homme n'est que paradoxes. Il a des bottines en cuir verni que l'usure a ternies et des chaussettes élimées avec de gros trous déchiquetés aux talons. Une chevalière blasonnée avec un gros diamant magnifiquement taillé. Et ces dents en or qui scintillent quand il les découvre en retroussant sa lèvre dans un rictus méprisant. Ses cheveux, son manteau en cuir, son pantalon, ses chaussures, tout est noir comme la nuit. Tout le reste est dépareillé et fantaisiste. Un gilet violet et une cravate à motifs aux couleurs criardes.

Quand il ôte sa chemise – blanche, la seule chose pure et simple sur lui – il découvre un torse mince et imberbe, aussi délicatement ciselé qu'une statue de marbre. La peau est pâle et lisse; jusqu'à ce qu'il se retourne.

Il a sur le dos une grande balafre qui dessine une courbe sous l'omoplate; un croissant irrégulier de chair meurtrie, encore plus pâle que la peau, même si cela paraît impossible; le sous-entendu d'une terrible violence.

Il me regarde en affectant un air distant et aristocratique. Je le regarde et je pense à Marcus; mais en plus jeune, plus rude et plus échevelé; je le regarde et je songe à ce que je veux que soit Marcus, à la manière dont je veux qu'il me traite.

Avec dédain.

Je commence à ôter mes sous-vêtements. Il plonge son regard dans le mien et dit:

– Garde tes bas. (C'est un ordre, pas une demande.) Il baisse sa braguette sans me quitter des yeux et ajoute: Une fille a essayé de m'étrangler, un jour.

Je me demande si c'est une mise en garde. Si c'est ce qu'il a l'intention de me faire. Un frisson me parcourt. Mais il est trop tard pour changer d'avis, car il est déjà en train d'enlever son caleçon, qui est aussi blanc que sa chemise et son torse nu.

Je suis allongée sur le lit, à plat ventre, et je tourne la tête pour le regarder par-dessus mon épaule.

Je pense à Marcus et à sa queue sinueuse le long de son pantalon marron trop serré. Puis je n'ai plus à m'interroger, car elle est là, juste devant moi, longue, mince et majestueuse, dressée dans une courbe parfaite. Comme la lune dans son dernier croissant, comme la cicatrice dans son dos et la lame du poignard qui l'a faite. Et il rampe sur le lit, ses longs membres passant au-dessus de moi, comme une araignée qui fond sur une mouche. D'un coup de pied, il m'écarte les jambes et se couche entre mes cuisses. Je sens sa bite gonflée qui repose contre la fente de mes fesses. Je le sens qui se soulève dans un mouvement de va-et-vient.

Sa main est plaquée sur ma nuque, ses doigts entourent ma gorge, si longs qu'ils font presque le tour de mon cou. Il serre légèrement et la sensation est agréable. J'attends qu'il la laisse glisser le long de mon dos en appuyant sur les points de pression. Mais il resserre son étreinte et pèse de tout son poids en m'enfonçant la tête dans le matelas.

Je pousse un cri plus de surprise que de douleur.

Je le sens écarter mes fesses de son autre main et je me prépare à pousser un autre cri, plus de douleur que de surprise. Parce que je sais ce qui m'attend. Et qu'il est trop tard pour changer d'avis.

C'est alors qu'un klaxon retentit. Le crissement de pneus d'un taxi qui s'arrête à une vingtaine de centimètres de moi, qui suis descendue du trottoir et ai fait deux pas sur la chaussée alors que le feu est au vert.

Je suis secouée. Tirée de ma stupeur. Projetée hors de l'écran dans la réalité. Et je connais la différence. Je ne sais pas ce qui est pire et provoque le plus de dégâts – se faire démonter le cul par un voyou ou se faire démonter le cul par un taxi.

Je glisse la clé dans la serrure et la porte de l'appartement n'est même pas complètement ouverte que j'appelle :

– Jack… Jack ? Il surgit dans le couloir et je ne dis pas : « Je t'aime. Tu m'as manqué. Comment s'est passée ta journée ? » Je lui dis : Je crève d'envie de baiser.

Je suis sur lui en un instant et je l'ai cloué au mur avant qu'il ait pu s'en rendre compte. Je l'embrasse à pleine bouche avant qu'il ait pu dire un mot ni même reprendre son souffle.

Je glisse les mains sous sa chemise et caresse sa poitrine. Mes ongles parcourent son torse. Pincent ses tétons jusqu'à lui arracher un gémissement. Et je ne l'entends pas, je le sens : le souffle d'un geignement sourd qui s'échappe de sa bouche dans la mienne.

Je suis une possédée. La seule chose qui m'obsède, c'est avoir sa bite en moi et ne pas la lâcher. Je veux être sous l'emprise de sa bite. Jamais je n'ai éprouvé cela, jamais je n'ai été aussi déterminée ni autant excitée.

Je tâte son entrejambe. Et c'est ça que j'aime chez Jack. Jamais je n'ai à attendre qu'il bande. Jamais je ne dois perdre de temps pour exciter une bite molle. À peine j'ai commencé qu'elle est là, prête, en attente, disponible, comme grâce à quelque autosuggestion, et sacrément dure.

Je baisse son pantalon et son caleçon d'un coup, frénétique. Je l'ai dans la main, à présent, ma bouche quitte la sienne, mais seulement pour que je puisse le regarder droit dans les yeux et lui dire : « Je veux ta queue. Je veux que tu me défonces la bouche avec ta queue. »

Et je ne lui demande pas la permission.

Je ne demande pas, j'annonce.

Je ne demande pas, je prends.

Et il n'a pas le choix.

Je glisse le long de son corps, je ne le lâche que le temps de changer de main. Je suis à genoux devant lui et je tire sa queue vers le bas, comme un levier, pour qu'elle forme un angle droit avec son corps, et soit parfaitement en face de ma bouche.

J'engloutis le gland, lentement ; tout entier, mes lèvres solidement refermées sur lui. Je me retire et le titille de ma langue. Puis je le reprends en moi, un petit peu plus profondément, en avançant le long de la tige. Puis je me retire. Je le chauffe.

Et je lui dis ce qu'il veut entendre.

Je lui dis : « C'est tellement bon, ta queue bien dure dans ma petite bouche serrée. Elle a tellement bon goût. Tu aimes ce que je te fais, hein ? »

Et je n'attends pas la réponse.

Je redresse sa queue contre son ventre et je la maintiens en place pendant que je lèche le dessous de ses couilles, tout autour du scrotum, en les faisant tressauter du bout de la langue. J'en engloutis une, puis l'autre, puis je remonte à petits coups de langue le long de la tige, comme un pinceau sur une toile, jusqu'en haut. Et je lèche le gland, je crache dessus et je le branle d'une main en le regardant droit dans les yeux. Je vois qu'il est subjugué et je sais qu'il est à ma merci.

J'ouvre la bouche, en grand, pour pouvoir l'engloutir en entier, j'inspire assez d'air pour remplir mes poumons, comme si j'allais plonger, et je l'enfonce lentement en moi sur toute la longueur, enroulant ma langue autour du gland et caressant le dessous au fur et à mesure que je l'avale. En même temps, je sens que je commence à mouiller.

Je le garde en moi jusqu'à ce que je le sente trembler, puis je le ressors. Il est toujours relié à moi par un épais filet de salive perlé qui coule entre nous et couvre le bout de sa bite comme la neige le sommet d'une montagne. Je regarde la salive et j'imagine ma chatte qui s'ouvre comme une fleur et les sucs blancs et visqueux qui collent aux lèvres.

Je me relève en cherchant de l'air et en le branlant vigoureusement, recouvrant toute sa bite d'une pellicule de salive pendant que je reprends mon souffle et que je me prépare à replonger.

Je baisse la tête par à-coups rapides, j'ouvre ma gorge et y enfonce sa queue ; je sens le gland charnu qui cogne contre le fond de ma gorge, sa bite qui remplit ma bouche. Je l'imagine enfoncée dans ma chatte brûlante et ruisselante et je sens que ma culotte est complètement trempée.

Je sens ses mains glisser dans mes cheveux et j'attends qu'elles se referment sur ma nuque et me maintiennent la tête pendant qu'il donne un coup de butoir – bref, brutal, final – tout au fond de moi. C'est ce que je veux. C'est ce que j'imagine par avance.

Je vais l'entendre gémir pendant qu'il lâche tout au fond de ma gorge. Et les mots lui manqueront. Il ne saura plus quoi dire.

Sauf : « Bon Dieu. »

Et : « Ouais. »

Je prendrai, l'une après l'autre, chaque giclée, chaude, épaisse et suave, qui glissera dans ma gorge. Et il n'arrêtera pas de gicler. J'aurai l'impression que je vais me noyer.

C'est ça que j'ai mentalement prévu. Mais ce n'est pas ce qui se passe.

Il glisse les mains dans mes cheveux, mais il ne s'enfonce pas en moi. Il me repousse. C'est comme si j'étais brusquement éveillée. Tirée brutalement d'un rêve.

Je lève les yeux vers lui et je demande : « Qu'est-ce qui cloche ? »

Je suis déroutée et vexée. Je n'essaie pas de le dissimuler. Il l'entend dans ma voix.

« Qu'est-ce qui cloche chez *moi* ? Qu'est-ce qui cloche chez toi, plutôt ? » dit-il.

Me le balancer en retour en pleine face, c'est encore pire.

« Qu'est-ce qui te prend, Catherine ? »

Il a des tas de petits noms pour moi – des petits surnoms stupides qu'il improvise : Kitty, Cat, Trini. Il ne m'appelle Catherine que lorsqu'il est vraiment énervé.

Rien ne me prend. Rien du tout. C'est bien ça, le problème. Il ne voit donc pas à quel point je suis excitée ?

À cause de lui, je me sens idiote et moins que rien.

« Je travaille, plaide-t-il. Je n'ai pas le temps pour ça. Plus tard, peut-être. »

Et quand il dit ça, je sais qu'il n'y aura pas de plus tard. Je sais qu'il va travailler jusqu'à point d'heure et me faire attendre.

Et c'est exactement ce qui se produit. Je suis couchée, prête, en attente, disponible. Je l'entends à côté, mais il ne vient pas. Il ne me reste que ma main pour toute compagnie, mes fantasmes pour tout réconfort et toutes ces étranges images du film qui tournoient dans ma tête.

Je suis attachée à un arbre recouvert de lierre. Mes bras font le tour du tronc et sont maintenus par une vulgaire grosse corde qui me passe sur le corps et me ligote.

Je suis au milieu d'un bois, mais ma tête est remplie du grondement de l'océan. Il fait grand jour. Je suis baignée par la chaleur du soleil. Je n'entends que le chant des grillons dans la nuit.

J'ai du sang sur la tempe. Mais pas de blessure. Il a ruisselé sur ma joue comme de la peinture qui a coulé, visqueuse et épaisse. Comme une larme couleur de souffrance.

Et je n'ai pas peur, car mon amant est avec moi, debout devant moi. Il pose les mains sur mes épaules et je me sens réconfortée. Il caresse mon corps du regard et je me sens désirée. Il ne prononce pas un mot, ne fait pas un bruit, mais je suis baignée dans la chaleur de son amour. Il m'embrasse tendrement de ses lèvres si douces. Il jette un regard au sang, suit la traînée du doigt et m'embrasse à nouveau. Et ses baisers sont suaves, mais c'est tout.

CHAPITRE 6

C'est ce que j'ai toujours voulu savoir, depuis la première fois que j'ai connu le sexe :

Pourquoi on appelle ça « foutre » ?

Qu'est-ce qu'on reproche à « sperme » ? Ce n'est pas assez sexy ?

« Foutre », ça fait idiot, bon marché et jetable. On dirait une marque.

Tide, Tampax, Cadbury et Foutre.

Ou un additif entrant dans la composition d'un autre produit.

Porno – avec 20 % de foutre en plus !

Si vous voulez mon avis, foutre est une perversion de la langue. Que je ne peux tolérer. Traitez-moi de chialeuse si vous voulez, mais pour moi, ça ne passe tout simplement pas.

Puisque nous sommes sur ce sujet, si vous éprouvez le besoin de juter, spermer, dégorger, ne vous gênez surtout pas, mais pas sur mon visage ni dans ses environs immédiats, mais si vous voulez lâcher la purée ou la crème, je suis prête.

Et je préfère une queue ou une bite à une pine. Pas vous ? Je ne fais pas une fixation sur la taille, mais « pine » me fait juste penser à « épine » – ce qui ne m'excite vraiment pas.

Vantez-vous tant que ça vous chante d'avoir un bras de vitesse, une troisième jambe ou un démonte-pneu, mais gardez-le là où il doit être. Dans votre pantalon. Parce qu'il n'est pas question qu'il approche de ma chatte. Et quand j'entends un gars parler de Popaul, ça m'évoque l'ami avec qui il se branle dans les toilettes.

Je ne veux pas d'une bite avec un prénom. Je veux un gars qui a une bite.

Elle n'a pas besoin d'être énorme, mais il faut indiscutablement qu'elle soit dure et manœuvrée par quelqu'un qui ait son permis de conduire. Parce que ça ne sert à rien de donner des coups d'accélérateur si on ne sait pas freiner, tourner le volant, ou débrayer. Et le levier de vitesse, là? Si vous voulez me le fourrer dedans, vous avez intérêt à savoir vous en servir.

Voyez-vous, un pénis, c'est très bien, mais une queue, ça fait tellement plus salace et poétique. Une queue, ça frétille et ça donne des coups. Ça se dresse. Et puis, tête-à-queue. Tout ça me fait penser au sexe.

Ne me prenez pas pour une prude, parce que je n'en suis vraiment pas une. Et je ne veux être ni réductrice ni prescriptrice, car j'estime que tout le monde a ses préférences personnelles en matière de vocabulaire sexuel. Alors ne débattons pas de sémantique. Je vais juste le déclarer officiellement une bonne fois pour toutes. Pour moi, ce sera toujours «sperme» plutôt que «foutre».

Vous pourriez penser qu'une jeune femme instruite pourrait avoir des choses plus profondes à faire pour passer le temps que de réfléchir à la manière la plus satisfaisante d'exprimer «éjaculer». Je n'en suis pas si sûre.

C'est vrai, quoi, vous pouvez chercher tant que vous voulez un sens plus profond à la vie, vous pouvez vous mettre en quête d'une preuve physique de l'existence de Dieu. Vous pouvez lire autant de livres qu'il vous plaira sur le sujet, ou n'importe quel autre – la religion, la science, la philosophie, la nature –, je vous garantis cependant que vous ne trouverez jamais, absolument jamais, une réponse qui vous satisfasse. Qui vous satisfasse vraiment, au fond de vous, qui vous donne cette sensation de bien-être qu'apporte la certitude de savoir où l'on est en ce monde et pour quelle raison.

Pourquoi ?

Parce que la réponse est déjà là devant vous.

Le sperme.

Vous ne me croyez pas ?

Je vais vous le prouver.

Commençons par une affirmation que personne ne contredira :

Le sexe est le moteur de la vie.

Car sans sexe, il n'y a pas de vie. Et de la même façon, sans vie, il n'y a pas de sexe. Ils sont inextricablement liés, comme l'œuf et la poule. De la même manière, le sexe sans sperme est comme un Big Mac sans sa sauce spéciale. C'est l'essence magique d'où nous sortons tous. Car la moindre créature de ce monde a besoin de se reproduire pour survivre. Même le virus du rhume. L'existence elle-même repose sur le processus de reproduction.

Des oiseaux aux abeilles, des fleurs aux graminées, ce processus rigoureusement identique est répété inlassablement, du microcosme au macrocosme. Ce n'est pas vraiment nécessaire que je le dise. C'est une simple affaire de science et de biologie fondamentale. Mais peut-être que ça mérite d'être répété, car je crois que nous l'oublions trop souvent.

Le big bang a donné naissance à un corps universel composé de systèmes solaires – utérus géants, incubateurs de planètes, qui sont des œufs cosmiques attendant d'être fécondés par la semence de la vie, qui est :

Le sperme.

Cela, en essence, est ma théorie sexuelle de la vie, de l'univers et de tout. La seule théorie des cordes dont j'aurai jamais besoin.

Et à vous tous qui êtes d'une inclination plus spirituelle, tout ce que je peux dire, c'est que vous n'avez pas fait suffisamment attention durant les cours de catéchisme ou que vous n'avez pas lu la Bible d'assez près, car s'il y a bien quelque chose qui ne manque pas dans ce livre saint, c'est le sexe. On peut à peine tourner une page sans qu'on se demande quand ça va venir, qu'il s'agisse de Dieu, de Jésus ou du salut.

Ne fais pas l'idiote, vous dites-vous.

Je réponds qu'on nous demande de prendre la Bible au pied de la lettre et que c'est exactement ce que je fais.

Si la Bible est vraiment un guide pour l'existence, pourquoi ceux qui l'ont écrite auraient-ils fait des jeux de mots et dissimulé sa signification ?

La Bible n'est-elle pas censée aider les gens à se sentir bien ? Et quelle meilleure manière pour cela que le sexe ?

Prenons un passage au hasard. Disons Luc, 17 : 20-21. Les pharisiens demandent à Jésus quand vient le Royaume de Dieu. Et qu'est-ce qu'il leur répond ? Que le Royaume de Dieu ne vient pas comme un fait observable.

Je dirais que c'est assez explicite. Pas de véritable mystère ici. Je dirais qu'il ne pouvait s'agir que d'une seule chose.

Du sperme.

Et qu'est-ce que c'est, sinon un synonyme de Dieu ?

Encore une chose que je tiens à déclarer officiellement une bonne fois pour toutes :

Je suis une vraie croyante. J'idolâtre le sperme.

Mais je me suis convertie à la cause à une date relativement récente. Je n'ai pas toujours été ainsi. En réalité, j'étais même totalement contre.

Si je pense au mot «foutre» et que je le visualise, cela ne devrait étonner personne que la pensée de laisser un type «décharger son foutre» à côté de moi ou sur moi m'ait immensément répugné. Ce n'est tout simplement pas sexy du tout. Cela ne m'évoque pas le ravissement transcendant éprouvé durant l'orgasme humain, qu'il soit féminin ou masculin. Cela fait penser à ce qui reste quand un homme a fini de vous utiliser. Ou à la capote usagée qu'on jette à la poubelle ensuite. Donc, pour moi, «foutre» a toujours été quelque chose de sale et d'obscène. Cela me dégoûtait. Je ne voulais pas le voir, le sentir et certainement pas y goûter.

En dernière année de secondaire, j'ai eu un petit copain qui essayait constamment de se finir sur mon visage. C'était son truc et comme il voulait que ce soit le mien aussi, il trouvait un prétexte pour le faire quand cela lui chantait. Nous étions en train de baiser et j'avais à peine le temps de dire «ouf» qu'il se retirait, me grimpait dessus et essayait de me chevaucher le visage. On aurait dit un petit chien qui gratte à la porte et se jette dans les bras de son maître parce qu'il a été laissé trop longtemps tout seul. Sauf que là, c'était juste un pauvre type qui a trop regardé de pornos et n'avait pas la moindre notion de la manière dont on peut donner du plaisir à une vraie fille vivante. Je le repoussais en me débattant, comme un chiot qui s'obstine à vous grimper sur la jambe, et jamais il n'a réussi à arriver plus haut que mon ventre. Mais même là, ça ne me plaisait pas. La texture, la température. Ça ne me procurait aucun plaisir. La simple idée me donnait la nausée.

Après lui, je suis sortie avec un footballeur. Corps d'athlète et visage à l'avenant. Mais quand les lumières s'éteignaient, c'en était de même pour notre vie sexuelle. Sa personnalité était aussi inexistante que son imagination au lit. J'essayais toujours de jouir avant lui, car dès qu'il avait joui, ça cassait toute l'ambiance pour moi. Quand il atteignait l'orgasme, il geignait comme un petit garçon qui va se mettre à pleurer. Je me suis toujours demandé s'il était sous stéroïdes et je n'ai jamais su s'il avait un véritable désir pour moi ou s'il faisait juste semblant.

Et puis quelque chose a changé. On pourrait dire que j'ai eu une révélation, qu'il s'agisse de l'appel de l'amour ou du désir, ou bien d'un mélange des deux. Mais je m'en souviens parfaitement, comme si c'était arrivé ce matin.

C'était la huitième fois que Jack et moi couchions ensemble. Et cela me faisait un effet vraiment différent. Jack était le premier homme qui avait su me mettre à l'aise et en présence de qui je n'étais pas gênée d'être nue. J'étais sur lui, à califourchon, nous nous embrassions passionnément et, au moment de jouir, il m'a regardé droit dans les yeux et m'a demandé… en fait, il m'a demandé s'il pouvait jouir dans ma bouche.

J'ai paniqué rien qu'à y penser, mais j'étais tellement chamboulée par la nouveauté de cet amour/désir que tout ce que j'ai pu faire, tout ce que j'ai eu envie de faire, ça a été de sourire en hochant la tête pour lui donner la permission. Il a demandé. C'était moi qui décidais. Il a pris la peine de demander, et rien que cela m'a donné envie.

À partir de ce moment-là, j'ai été débarrassée de toute crainte de la substance gluante associée avec ce mot cochon. Je n'avais même plus peur du goût que cela pouvait avoir. J'en avais juste envie. Cela m'excitait. J'adorais cela. Cela me fascinait. J'en avais la fringale, tout comme j'avais besoin que les bras de Jack m'enveloppent tendrement et que ses lèvres me donnent de suaves et doux baisers. Le sexe n'avait été qu'une immense déception jusqu'à ce que je connaisse Jack. Je crois qu'il s'agissait juste de trouver la bonne personne, celle qui m'ouvrirait, me montrerait le chemin et m'apprendrait à trouver du plaisir dans le sexe.

Vous connaissez l'expression de William Blake, «voir un univers dans un grain de sable»? Eh bien, je vois l'univers dans un grain du sperme de Jack. Quand je pense au sperme de Jack, je pense à la manière dont il est arrivé là, au sexe qui a été grandiose et que j'aurais aimé ne voir jamais finir. Quand je pense au sperme de Jack, il est toujours avec moi et c'est comme si nous n'étions jamais séparés.

J'aime la sensation de son sperme. J'aime le sentir jaillir dans ma bouche. J'aime quand il le fait gicler dans mes cheveux, qui finissent collés et emmêlés, comme quand on se prend la tête dans une toile d'araignée.

J'aime lui dire de jouir sur mes seins pour que je puisse l'étaler partout, comme un peintre mélangeant les couleurs sur sa palette. C'est lui la peinture. Je suis le peintre et la toile, aussi. J'aime peindre avec son sperme sur mon corps pour le sentir sécher, durcir et se contracter en me tirant la peau. J'aime le voir se craqueler en petites écailles quand je l'essuie ensuite. J'aime avoir sur le bout du doigt une paillette de son sperme séché, et la regarder comme on observe un flocon de neige en essayant de discerner la structure cristalline à l'intérieur.

J'aime baisser les yeux et voir le sperme jaillir de sa queue. D'abord sortir en longues giclées gluantes, de moins en moins puissantes et abondantes. Puis se déverser lentement, inexorablement, comme la mousse d'une cannette de bière que l'on aurait secouée avant de l'ouvrir.

J'aime quand il s'accumule en formant une flaque sur mon ventre, me noyant le nombril et se répandant sur mes hanches comme un velouté crémeux qui dégouline d'une assiette. Quand il tombe sur mes reins en grosses gouttes épaisses, comme une pluie tropicale, comme du lait chaud, de la lave brûlante. Quand il se retire et lâche tout sur ma chatte et ma toison pubienne, où il s'accroche en minces filaments comme du coton dans une haie.

J'aime quand il décharge en moi et que je me sens comblée, rassasiée et calme, comme si je venais de manger un bon repas consistant. Et puis le sentir glisser hors de ma chatte en laissant une traînée épaisse et nacrée qui atteint le bord de mon trou du cul. Parfois, il suinte des heures plus tard, alors que j'avais oublié jusqu'à sa présence. Quand je me promène dans le campus ou que je suis assise en classe, ou dans le bus, ou encore en train de faire la queue à une caisse, soudain, l'entrejambe de ma culotte est trempé et collant, et je me rappelle le moment où il a donné son coup de butoir et laissé échapper ce petit gémissement douloureux une fraction de seconde avant de tout lâcher. Et je le revis, comme s'il me baisait, qu'il éjaculait en moi à nouveau, ici et maintenant, sur le campus, en cours, dans le bus, au supermarché.

J'aime quand il jouit sur mon visage et que j'ai l'impression d'être entièrement à sa merci, comme s'il m'humiliait avec son sperme. Quand je ferme les yeux et que je le sens m'éclabousser le visage. Quand il lance ses lourdes giclées et qu'elles glissent lentement sur mon visage. Me remplissent les pores, ruissellent sur ma joue, mon front, gouttent de mon menton. C'est comme si mon visage n'était pas assez grand pour tout prendre. Son sperme sans fin.

J'aime l'essuyer sur mes lèvres et sur mes joues, l'étirer entre pouce et index comme de la morve, puis l'engloutir, le faire rouler dans ma bouche en le mélangeant avec ma salive, pour faire un cocktail de ses liquides corporels et des miens, et tout gober comme une huître. Ensuite, j'ouvre la bouche toute grande et je tire la langue pour lui montrer que j'ai tout avalé. Que j'ai été une bonne fille qui a gentiment pris sa potion.

J'aime deviner ce qu'il a mangé au petit-déjeuner, au dîner, au souper et entre les deux selon le goût et l'odeur. Salé, amer, sucré, acide et fumé. Bière, café, asperge, banane, ananas, chocolat. D'après la texture et la consistance. Tantôt, c'est coulant comme le blanc d'un œuf mollet, tantôt épais et grumeleux comme de la semoule, parfois, c'est un mélange des deux en même temps. Et parfois, c'est lisse comme du sirop pour la toux, et c'est ce que je préfère, parce que ça passe si facilement.

J'aime lécher sa bite après qu'il a joui en moi, quand il se retire et que son sexe est gluant et luisant. Je veux goûter sa saveur et la mienne ensemble, notre sueur et notre passion. Je veux que le goût demeure dans ma bouche jusqu'à ce qu'il me donne une haleine rance. J'aime l'odeur de son sperme quand il commence à fermenter sur mon corps.

Et ensuite, j'aime laver son sperme sec sur moi dans la douche et le sentir se reconstituer au contact de l'eau, presque comme s'il était ressuscité. J'aime voir cette eau, son sperme, tournoyer dans la bonde et penser au voyage qu'il s'apprête à faire.

Les endroits qu'il a vus et celui où il va finir. De l'intérieur du corps de Jack à la surface du mien. De mon corps jusqu'à la mer.

Né de la nature et rendu à la nature. Ainsi qu'il en est de toutes choses.

Ainsi qu'il doit en être.

CHAPITRE 7

Marcus, appuyé contre son bureau, dissèque *Belle de Jour* scène par scène. Il parle du besoin de Séverine de se soumettre à ses désirs, complètement et absolument, jusqu'à ce que son imaginaire et sa réalité se mêlent et qu'elle ne puisse plus les distinguer. Et, à genoux devant Marcus, je lèche sa main tendue.

J'ai autour du cou un collier avec le nom de mon maître dessus. Il indique:

Je suis la chouchoute du prof.

Je suis la chienne de Marcus.

Il est mon maître.

Je suis dressée sur les pattes arrières, celles de devant posées sur son torse, ma tête enfouie entre ses jambes. Je suis une chienne en chaleur qui sent le sexe de son maître. Je frotte mon mufle sur son entrejambe, je flaire son arôme, je l'inspire en moi. Le musc secret me dit que je lui appartiens, à lui et à lui seul. Il remplit mes narines et ma tête. Je suis un nuage d'amour et je ne voudrais être nulle part ailleurs. Je halète et aboie pour montrer combien je suis enchantée.

Je regarde son entrejambe et j'incline la tête pour suivre du regard le pli du pantalon marron. Je lèche son entrejambe pour suivre de la langue le pli, le sentir enfler et tendre l'étoffe.

Je tache l'entrejambe de Marcus avec ma langue et il me repousse, brutalement, sans prévenir. Il me repousse si violemment que je tombe sur le flanc et m'étale par terre. Il aboie son mécontentement et me gronde.

Vilaine chienne.

Je lève les yeux vers lui et je crie lamentablement. Cela ne fait que le fâcher plus encore. Mon maître me déteste et je suis triste. J'ai envie de me rouler en boule et de me cacher dans un coin en rongeant un bon os bien goûteux.

* * *

Marcus parle des secrets contenus dans les rêves, des secrets que nous gardons et qui menacent de nous consumer.

Je suis à quatre pattes sur le dessus du bureau, la tête posée sur les pattes avant, l'arrière-train tendu en l'air au maximum. Marcus a deux doigts dans ma chatte et un dans mon cul. Je frétille en gémissant de plaisir. Et tout est pardonné.

Je suis la chienne de mon maître.

Anna est en retard au cours. Anna entre et tous les hommes se mettent au garde-à-vous. Marcus se met au garde-à-vous. Et Anna est à genoux devant lui. Sa tête enfouie dans son entrejambe. Elle suce l'odeur secrète que j'étais la seule à connaître. Elle lèche l'endroit que j'ai léché. Mais je ne suis pas jalouse. Je ne suis pas inquiète que Marcus accorde son affection à une autre. Je suis heureuse de partager mon obsession. Heureuse de partager mon maître avec ma meilleure amie.

Marcus parle du besoin qu'a Séverine de s'anéantir dans le sexe. Et je suis l'esclave de mon maître. Je suis prête à faire tout ce qu'il exige. Je veux me soumettre à ses désirs et les faire miens. Je veux m'anéantir sur son sexe.

Mais mon maître a d'autres idées. Il veut garder Anna pour lui. Il veut que je sois pour tous les autres.

Marcus ordonne à tous les hommes de la classe de se mettre en file indienne. Un par un. Deux par deux. Comme les animaux de l'arche. Il m'ordonne de me retourner, de tourner le dos à la classe, aux hommes qui attendent en file indienne, au garde-à-vous. Il me dit de faire face au tableau.

Sur le tableau, Marcus a écrit HÉGÉMONIE.

Il me dit de le prononcer à voix haute, encore et encore, jusqu'à ce que le mot ne veuille plus rien dire, qu'il ne soit plus qu'un mot. Pendant que je fais cela, il ordonne aux hommes de me prendre. Un par un. Deux par deux. Et je suis heureuse de me partager pour mon maître. Si c'est ce qu'il désire.

Marcus parle des limites inconnaissables du désir féminin et je crois comprendre ce qu'il veut dire.

Je suis assise en cours et je ne sais pas qui je suis, ce qui m'a pris ni pourquoi.

Je suis assise au premier rang, comme toujours.

Habillée pour Marcus, comme toujours.

Mais tout le reste a changé.

J'ai changé.

* * *

Marcus, appuyé contre son bureau, parle des hallucinations érotiques et de la capacité de l'esprit humain à transformer des états émotionnels fébriles en expériences fantasmagoriques qui paraissent totalement réelles et impossibles à distinguer de la réalité.

Je suis convaincue que Marcus parle de moi.

Il me parle à moi.

Comment est-il au courant?

Marcus explique comment le cinéma peut agir comme un portail direct sur le subconscient. Comment l'art peut éveiller nos pensées et désirs inconscients, souvent à travers des passages qui semblent aussi fantastiques et irréels que l'art lui-même. Comment, dans des cas extrêmes, nos réactions à l'art peuvent provoquer des symptômes physiques. Comme ces adolescentes qui ne pouvaient plus contrôler leurs sphincters en présence des Beatles. Ou comme dans les années vingt, lorsqu'on disait qu'à la fin d'un film avec Rudolph Valentino il n'y avait plus un siège de sec dans la salle.

Il parle du syndrome de Stendhal, un phénomène réellement attesté où les individus éprouvent vertiges, évanouissements et même psychose légère en présence de grandes œuvres d'art.

Le syndrome de Stendhal. On dirait le genre de chose qu'un hypocondriaque chronique se trouverait en lisant les définitions des mots « art » et « psychose » dans le dictionnaire. Les hypocondriaques chroniques se renseignent toujours sur leurs symptômes, en restant intentionnellement vagues sur les détails, dans l'espoir de se trouver une maladie atroce et incurable – pire elle est, mieux elle calmera leur angoisse. Le syndrome de Stendhal : ce doit être aussi grave que cela sonne.

Et moi qui pensais que c'était seulement le titre d'un film. Un film d'horreur de Dario Argento que j'ai vu un jour et jamais oublié – *Le Syndrome de Stendhal* – sur une jeune policière, jouée par la fille du réalisateur, Asia, qui, dans le cadre de son enquête sur une série de meurtres violents, poursuit le criminel dans une galerie de peinture et est paralysée par la majesté des œuvres auxquelles elle se trouve confrontée. *La Naissance de Vénus* de Botticelli, la *Méduse* du Caravage ; une œuvre d'une beauté divine, une autre de pure terreur.

Et elle est hypnotisée. Son champ de vision se rétrécit, se réduit à la peinture, jusqu'à ce qu'elle ne voie plus rien d'autre.

Jusqu'à ce qu'elle se retrouve, non plus à regarder le tableau depuis l'extérieur, mais dans le tableau en train de regarder à l'extérieur.

Comme Alice de l'autre côté du miroir.

Je me demande si ce film détient la clé de ce que j'éprouve. Et je me rends compte que c'est complètement idiot, comme si on pouvait trouver des réponses dans un film d'horreur. Ou dans quelque film que ce soit, d'ailleurs. Comme si l'art était en mesure de faire autre chose que soulever encore plus de questions.

J'en ai tellement, des questions, que je ne sais plus de quel côté me tourner. Mais je sais à qui demander.

Je coince Anna après le cours et nous allons à la cafétéria. Le déjeuner est terminé et elle est presque vide. Nous nous asseyons à une table à l'écart des autres. Je veux tout lui raconter, mais je sais que si je le fais, je vais passer pour une folle qui radote.

Je préfère lui dire que j'ai fait des rêves vraiment très réalistes.

« Sur Marcus, dit-elle. »

Ce n'est pas une question, mais une affirmation. Comment a-t-elle pu deviner ?

« Oui, sur Marcus. »

Anna bat des mains et glousse comme une enfant à Noël.

« Je veux entendre tous les détails croustillants, dit-elle. N'omets rien.

– T'es-tu déjà sentie si excitée au point de croire que tu devenais folle ? Que tu perdais pied et que tu pourrais bien ne plus jamais revenir à la réalité ?

– Dans mes rêves ? demande-t-elle.

– Oui, ou dans d'autres circonstances.

– Dans la réalité. »

J'acquiesce.

Sans prononcer un mot, elle remonte un gros bracelet à fermeture en argent décoré de motifs entrelacés qu'elle porte au poignet gauche. Dessous, un anneau d'ecchymoses violacées, comme une empreinte fossile incrustée dans la peau, comme si le motif du bracelet avait été imprimé dans sa chair.

« C'est beau, non ? » demande-t-elle en suivant les lignes du doigt, comme si elle était en transe.

Cela me paraît grotesque. Et douloureux.

Elle a des poignets si délicats et si jolis. Ils ont l'air déformés et enflés.

« Qu'est-ce qui t'est arrivé ? »

J'essaie de ne pas paraître choquée, mais c'est difficile.

« On m'a attachée, explique-t-elle, comme si c'était la chose la plus évidente qui soit. Comme si elle s'attendait à ce que je sache.

– Qui ça, « on » ? »

Et Anna me dit tout. Elle me fait spontanément part de tous ses secrets. Elle me dit sur elle des choses que je n'aurais jamais devinées.

Elle me parle du site Web pour lequel elle pose.

« Ça paie vraiment bien, dit-elle. Ça me paie mes cours et mes factures. »

Si c'est si bien payé, ajoute-t-elle, c'est parce que le site « s'adresse à une catégorie de personnes très choisies ».

– Quel genre de personnes ?

– Des gens qui savent ce qu'ils aiment, dit-elle. Des gens qui veulent voir un type particulier de fille dans un type particulier de situation. Des filles jeunes, jolies, qui acceptent d'être entravées, attachées, enchaînées, punies et enfermées.

J'essaie d'imaginer qui sont ces gens, ce qu'ils font et pourquoi ils voudraient voir ce genre de choses. Je regarde les poignets d'Anna et j'imagine ce qu'elle pourrait en retirer, en dehors de ces bleus.

Je me demande si c'est elle-même qui se les inflige, si elle l'a fait comme les filles qui se scarifiaient quand j'étais au secondaire. Ces filles solitaires et fiévreuses issues de bonnes familles, qui avaient une conception tellement tordue de leur corps et du reste qu'elles se faisaient du mal et se causaient des dégâts irréparables physiquement et mentalement.

Je me demande si c'est ça que font ces filles quand elles abandonnent leurs obsessions adolescentes pour passer à celles des adultes. Je n'imagine pas d'autre raison de s'infliger ce genre de choses. Même pour se payer toutes les études du monde.

« Ce n'est pas une question d'argent », ajoute Anna comme si elle se ravisait et qu'elle avait entendu mes pensées.

Je la crois presque. Je regarde de nouveau son poignet puis je remarque deux ecchymoses qui jaunissent sur le haut de son bras. Comme elle porte un chemisier sans manches, elle ne pourrait pas les dissimuler même si elle le voulait. Et je ne crois pas qu'elle le veuille.

« Ça vient du même endroit, je demande.

– Celles-là? dit-elle en les caressant affectueusement du bout de l'index. Non. (Elle sourit comme si elle se rappelait un agréable souvenir.) Marques de baise. Tu vois ce que je veux dire?

Non, mais je peux imaginer.

Anna me dit qu'elle a un petit copain. En fait, elle me dit qu'elle en a plusieurs, en dehors de Marcus, et qu'ils lui procurent tous quelque chose de différent, qu'ils satisfont chacun une partie d'elle. Mais ce type en particulier, il aime la traiter sans ménagement et laisse sa marque pour que les autres sachent qu'il est passé par là. Et cela ne la gêne pas non plus.

– J'aime les sentir sur mon corps, dit-elle. Tant que je peux les voir et les sentir, je me rappelle comment je les ai eus. Je me rappelle comment il a posé sa main sur moi. Comment il m'a baisée. Et j'aime les voir s'estomper. Du rouge au noir, puis vert, puis doré. Et quand ils disparaissent, je sais que le moment est venu d'aller le revoir.

Parmi tous ses petits copains, elle estime que c'est lui qu'elle préfère, parce que c'est le seul à penser comme elle. À croire, comme elle, que « sexe et violence sont les deux faces d'une même médaille » – non seulement, il le croit, mais il agit en conséquence.

« Tu sais comment c'est, à l'école, quand on dit qu'on va t'enseigner ces histoires d'oiseaux et d'abeilles ? demande-t-elle. Eh bien, on ne te dit pas tout, pas toute la vérité. On ne t'en dit qu'une partie. Seulement les trucs qu'on veut que tu saches. Sur les oiseaux. Tous ces contes de fées sur les parades nuptiales, l'accouplement et l'élevage des petits. On ne te parle pas des abeilles.

– Bien sûr que si, dis-je. On te dit comment les abeilles vont de fleur en fleur pour répandre le pollen. »

Anna secoue la tête et lève les yeux au ciel.

« Alors ce devrait être les oiseaux et les fleurs, dans ce cas. Pas les oiseaux et les abeilles. Tu sais comment baisent les abeilles ?

– Non. »

Je crois que je n'y ai même jamais songé.

« C'est violent, dit-elle. Vraiment violent.

Quand les abeilles baisent, poursuit Anna, c'est du sexe brutal, mais c'est le garçon qui prend tout, pas la fille.

Quand il met son sexe dans la reine, il se retourne, précise-t-elle. Et quand il jouit, c'est comme un pétard qui explose. C'est tellement violent que ça lui arrache la bite et que ça l'envoie balader au loin. Et il meurt de ses blessures quelques heures plus tard. Si un type me frappe trop fort ou qu'il est chiant, ou qu'il ne me plaît pas, je lui parle toujours des oiseaux et des abeilles, rit-elle. Ils ne savent jamais ce qu'il en est des abeilles. Et une fois que je leur ai dit, ils auraient préféré ne rien savoir, glousse-t-elle. Un coup de bite et c'est fini, s'émerveille-t-elle. Si c'était comme ça pour les gars, tu imagines à quel point le monde serait différent? Et si on nous parlait des abeilles à l'école, et pas seulement des oiseaux et des fleurs, songe au genre de sexe qu'on voudrait pratiquer ensuite.

Écouter Anna parler de sexe me donne l'impression d'être redevenue complètement vierge. Non, ce n'est pas ça. Je retrouve l'impression que j'ai eue lors de mon premier jour à l'école primaire, tout juste sortie de la maternelle, toute fière en m'imaginant que j'étais une adulte – c'est souvent le cas quand on est enfant et que quelque chose d'important se produit, comme d'intégrer une nouvelle école ou d'avoir son premier vélo – alors que je ne savais rien. Rien du tout.

C'est la sensation que j'ai à présent. D'avoir joué au docteur depuis le début et de comprendre seulement maintenant comment le sexe fonctionne dans la vraie vie. J'essaie de digérer toutes ces informations, mais Anna n'en a pas encore fini.

Elle dit qu'elle se rappelle pourquoi elle s'est mise à me parler des abeilles. Que lorsque le garçon-abeille meurt, son pénis castré reste à moitié enfoncé dans le vagin de la reine, comme un bouchon dans une bouteille de vin que l'on n'a pas finie, le signal pour les autres garçons-abeilles qu'ils peuvent à leur tour la féconder – un signal d'accouplement.

« C'est la même chose pour ça », conclut-elle en passant lentement la main sur les bleus de son bras.

Elle les arbore comme un tatouage temporaire, parce qu'elle veut que tout le monde sache ce qui la branche – comme les gens qui portent le badge de leur groupe préféré au revers de leur blouson –, pour que ceux qui sont branchés comme elle le voient et réagissent.

« Et ceux qui ne sont pas branchés pareil ?

– Ils doivent se dire que je suis vraiment maladroite », dit-elle nonchalamment.

Je regarde Anna et ses bleus et je la vois sous un jour totalement différent, à présent. Mais elle n'a répondu à aucune de mes questions. Elle en a juste soulevé en moi tout un tas d'autres.

CHAPITRE 8

Je pense à tout ce qu'Anna m'a raconté sur Marcus, sur elle, les oiseaux et les abeilles. Sur les marques de baise. Et je veux savoir ce que c'est de sentir Jack sur mon corps. Pas seulement son sperme. Sa marque. Je veux savoir si c'est ce qui manque à notre vie sexuelle. La violence.

Jack me baise dans le lit. Il est accroupi, mes jambes sont posées contre sa poitrine et mes pieds par-dessus son épaule gauche. Il me tient les chevilles et me baise comme s'il jouait du violoncelle. Sa bite fait des va-et-vient dans ma chatte. Ses couilles claquent contre mes fesses, il a la main étalée sur mon bas-ventre et son pouce joue avec le capuchon et le bouton de mon clitoris. Il fait des gammes, il fait monter ma passion d'octave en octave et je chante pour lui.

Je chante pour lui et je décide d'atteindre une note plus élevée.

« Frappe-moi, Jack. Je veux que tu me frappes. Frappe-moi assez fort pour que je crie. »

Je dis cela dans le feu de l'action, et parce que je me sens bien et que l'idée me plaît. Mais ça ne marche pas comme prévu.

Il s'arrête en route.

« Quoi ?

– Je veux que tu me frappes, je veux que tu me fasses mal. »

Il se retire, s'assoit au bout du lit et me fixe. Il fait sombre et je ne vois pas bien son expression, mais je sais que ça n'augure rien de bon.

« Qu'est-ce qu'il y a ? »

Un long silence.

« Pourquoi tu as dit ça ? demande Jack. Pourquoi tu irais ne serait-ce que me demander de te faire un truc pareil ?

– Excuse-moi, je ne voulais pas... j'ai cru... »

Et je renonce, parce que je ne trouve vraiment aucune bonne excuse. Ce n'était pas quelque chose que j'avais planifié, c'est quelque chose que j'ai ressenti et qui m'a poussé à agir. Je n'ai donc pas de réponse du tout.

« Même si je le faisais, je ne pourrais pas prétendre que ça me plaît, dit-il. Je ne peux même pas prétendre que j'ai envie de le faire. Pourquoi voudrais-tu que je te fasse du mal ? »

Et j'entends dans sa voix qu'il n'est pas simplement contrarié et dérouté, il est fâché et il fulmine.

Il se recouche, tout au bord de son côté et s'enroule dans les draps.

Je me retrouve frustrée, insatisfaite et profondément perplexe. Je me sens gauche et idiote, tellement idiote d'avoir ne serait-ce que pensé que ça lui tenterait.

Nous sommes couchés dans le lit. Ensemble, mais tellement éloignés, comme s'il y avait un mur entre nous.

J'entends la respiration de Jack qui se fait de plus en plus profonde, mais je ne peux pas dormir.

Je vais dans le salon, je m'assois avec mon portable sur le canapé dans le noir, et je trouve le site porno pour lequel Anna travaille. J'y ai pensé toute la journée, depuis qu'elle m'en a parlé, et je veux voir par moi-même comment ces marques sont arrivées sur ses poignets, et ce qu'elle fait.

* * *

Là, je vais marquer une pause et vous avouer quelque chose d'embarrassant. Je n'ai pas beaucoup d'expérience du porno en ligne. Les films pornos, oui. Le porno en ligne, non – ce sont deux choses très différentes. Oui, je sais, c'est presque impossible de passer à côté, mais ça n'a jamais été mon truc. Peut-être que Kinsey avait vu juste après tout avec sa petite théorie sur les femmes et les stimuli sexuels.

Quand je pense au porno en ligne, ce qui me vient à l'esprit, ce sont des jeux vidéo, des personnages de *La Guerre des étoiles*, Marvel et la science-fiction, tous les trucs sur lesquels les geeks ados encore puceaux font une fixation pour dissimuler leur obsession suprême :

Se branler sur les images qu'ils ont googlées avec un mot-clé.

Je pense à ces geeks adultes qui n'ont jamais surmonté leurs obsessions, mais sont passés au niveau supérieur. Des voitures en modèle réduit aux vraies voitures, des G.I. Joe aux vagins artificiels. De Google Images à YouPorn.

Je pense à ces milliards de gars, dans tous les pays du monde, qui se branlent devant du porno sur Internet au même moment. Ou peut-être même pas du porno. Peut-être juste sur le site de Kim Kardashian. Qui se branlent sur des photos grossièrement retouchées et à peine émoustillantes des sœurs Kardashian. Je pense aux milliards d'hommes qui éjaculent des zillions de spermatozoïdes simultanément sur des images du cul numérisé de Kim Kardashian.

Je me dis : quel gâchis de bon sperme.

Quel gâchis de précieuse énergie.

Si seulement quelqu'un inventait un moyen de capter cette énergie à la source. Ou de transformer en carburant ces milliards de Kleenex raidis par le sperme éparpillés quotidiennement. Si quelqu'un découvrait comment y arriver, la majeure partie des problèmes énergétiques du monde seraient résolus en un claquement de doigts. Plus de guerres pour le pétrole. Plus d'empreinte carbone. Plus de déchets nucléaires.

Plus de recettes fiscales gaspillées dans la vaine recherche de la fusion froide.

Juste des milliards de types fébriles et en sueur assis devant leurs écrans d'ordinateurs, pantalon aux chevilles, en train de se branler furieusement devant du porno en ligne et le cul de Kim Kardashian, jour et nuit, nuit et jour.

Sans jamais éprouver aucune culpabilité.

Je pense que ce que je veux dire, c'est qu'à propos du porno en ligne, je suis plutôt mitigée. Je n'en consomme pas, mais je vois sans conteste qu'il peut faire progresser durablement la paix dans le monde.

Pourtant, ce site porno, celui d'Anna, même d'après mon expérience limitée du genre, doit être le plus étrange qui soit. À commencer par son nom.

Sodome.

Ou plutôt SODOME, en lettres capitales. Car la dernière chose dont on ait besoin en matière de pornographie, c'est de subtilité.

Sodome. Et pas Gomorrhe. Pas parce que c'est trop subtil, mais probablement parce que c'est trop compliqué à écrire et que ça évoque une MST. Et que la pornographie et les MST, eh bien, disons qu'elles ne seront jamais les meilleures amies du monde.

Donc, SODOME. Une sorte d'acronyme. Pour l'expression qui s'étale sur la page d'accueil, également en capitales.

SODALITÉ DES DOMINATEURS.

Dieu sait ce que ça veut dire.

Je regarde ce site Web et pour moi, ça n'a ni queue ni tête. Ce n'est pas de la pornographie au sens où je l'entends. Pour commencer, il n'y a pas de sexe visible. Absolument pas. En tout cas, je n'en vois pas. Juste une galerie et un moteur de recherche.

Je ne sais pas quoi chercher et j'ai peur de ce que je pourrais trouver si je me lance. Je me contente de feuilleter la galerie. Un défilé sans fin de filles, de portraits qui semblent sortis d'un album des finissants, toutes exceptionnellement jolies, presque toutes en âge d'entrer à l'université. Je cherche Anna, m'attendant à moitié à tomber sur d'autres personnes de ma connaissance.

Je me demande combien de filles comme Anna financent leurs études comme ça, grâce au porno. Si je suis la seule étudiante qui ne le fait pas. Je me demande pourquoi les jolies filles, auxquelles leur beauté confère déjà un avantage naturel dans la vie, choisissent d'utiliser ce qu'elles ont à leur désavantage.

Je pense à Séverine. Qui avait tout, ne désirait rien, mais pour qui ce n'était pas suffisant. Séverine qui, plus que tout, voulait n'être rien.

Je pense à Anna. Et c'est alors que je la vois.

Je clique sur sa photo. Elle ouvre une nouvelle galerie. Toutes des images d'Anna mise en scène, chacune illustrée par une miniature. Je les passe en revue. Il y en a beaucoup, elles sont innombrables. Et ces miniatures ressemblent à des représentations de supplices médiévaux sorties des enluminures d'un manuscrit.

Les extraits de film n'ont pas de titre. Anna n'a pas de nom, pas même un nom d'actrice X. Elle est réduite à un numéro – un nombre à dix chiffres. J'ai l'impression de feuilleter un catalogue d'aberrations sexuelles et de tortures, ou d'avoir soulevé le couvercle de la boîte de Pandore. J'aurais préféré ne pas regarder dedans, parce qu'à présent, je ne pourrai plus jamais « dé-regarder ».

Par où commencer ?

Pourquoi pas le gode-perceuse ? Ce n'est pas pire qu'autre chose. La première vidéo sur laquelle je clique présente Anna, une cuvette de toilettes et un gode-perceuse. Si vous ne savez pas ce qu'est un gode-perceuse, c'est très simple : comme son nom l'indique, finalement, ce n'est rien d'autre qu'une perceuse avec un gode à la place de la mèche.

La question suivante est : comment ça marche ?

Il vous est arrivé de percer des trous dans un mur pour installer des étagères ?

Alors vous devez déjà savoir qu'une fois lancée, une perceuse électrique s'enfonce dans le plâtre comme dans du beurre. Et qu'elle continue jusqu'à ce qu'elle atteigne le béton ou la pierre. C'est là qu'elle commence à vous secouer. Vous la réglez alors sur « percussion » en espérant percer un petit peu plus et, quand vous atteignez de nouveau la pierre, votre perceuse a le recul d'un calibre .45.

À présent, imaginez vous introduire ça dedans.

Je marque une petite pause le temps que vous digériez bien.

Une perceuse électrique ordinaire, dans une utilisation jamais imaginée par son fabricant, pas même envisagée comme une éventualité. Un outil de bricolage transformé en *sextoy*.

Pas n'importe quel *sextoy*.

Le 45 Magnum des *sextoys*.

Traitez-moi de niaise si vous voulez, mais je n'imaginais pas que ce genre de chose existât. Je ne pensais pas que la technologie des vibromasseurs eût atteint un tel degré de sophistication que le lapin à piles semble désormais aussi démodé que le Walkman de Sony. Que la technologie du vibromasseur ait évolué à ce point et atteint le registre de l'horreur physique, en y impliquant *manu militari* une sexualité féminine qui n'en demandait pas tant.

Deux millénaires de culture et les sept âges de l'homme, tout ça pour parvenir au moment où un petit génie a l'idée de combiner un godemiché et une perceuse électrique. Comme si c'était exactement ce que le monde attendait, un *sextoy* qui puisse dérouiller les entrailles d'une femme jusqu'à lui faire atteindre l'orgasme, le tout à deux mille quatre cents tours minute.

Pas n'importe quel *sextoy*.

La Maserati des *sextoys*.

Fait pour les femmes, mais conçu – comment aurait-il pu en être autrement – par un homme. Comme si les femmes n'avaient pas déjà été suffisamment punies et torturées par les inventions des hommes. Il fallait que quelqu'un ponde le gode-perceuse. À présent, imaginez cet engin en train de dérouiller les entrailles de votre nouvelle copine.

Je regarde Anna attachée à la cuvette de toilettes, sur un piédestal en béton au milieu d'un vaste entrepôt sombre, humide et crasseux. Sans introduction, ni explication, ni intrigue, ni dialogue. En dehors d'Anna, vous ne voyez jamais personne. Pas d'ombre tapie à l'arrière-plan. Pas de voix hors champ. C'est comme si elle avait été enlevée, enfermée et abandonnée là. Et c'est peut-être l'idée de base. Anna m'a dit que le site avait un public spécial et, à présent, je comprends mieux pourquoi elle disait ça. Les films sont montés de façon à ce que vous ne voyiez que ce que leur auteur a envie de vous montrer.

Quand Anna m'a raconté ce qu'elle faisait, quand j'ai vu les marques et les bleus sur ses poignets, cela m'a troublée. Mais mon premier réflexe quand je me retrouve devant ce film, c'est de rire. Ça paraît tellement idiot. Mais aussi étrangement beau.

La tendre et pâle chair rougie d'Anna se détache sur l'émail blanc de la cuvette. Elle est affalée dessus, la tête et les épaules appuyées sur le réservoir, les reins sur le siège, les jambes tendues verticalement, formant un V, retenues par des cordes attachées aux chevilles, comme les ficelles d'une marionnette, afin que sa chatte et son cul soient bien visibles. Des cordes la ceignent au-dessus et au-dessous des seins pour la maintenir sur la cuvette comme un chapeau sur la tête d'une dame assistant au Kentucky Derby.

On dirait le genre de truc que Marcel Duchamp aurait pu inventer si jamais il s'était aventuré dans le porno.

Une femme attachée à une cuvette de toilettes.

Le fantasme de tous les plombiers.

Le gode-perceuse.

L'outil préféré de Joe l'électricien.

Rassemblez tout cela et qu'est-ce que vous obtenez ?

Le summum du porno du bricoleur.

Et ce gode-perceuse, il tambourine la chatte d'Anna comme un marteau-piqueur, et elle a les yeux révulsés. Tout son corps tressaute de la même manière que votre bras quand vous tenez une perceuse électrique. Le corps entier. Comme si elle était attachée à une chaise dans une soufflerie.

Et elle hurle. Comme on hurle quand la voiturette pique du nez dans la première grande descente des montagnes russes, et qu'on ne voit plus que le sol qui fonce sur nous. Un cri de pur plaisir et d'inépuisable terreur sans mélange. Mais son hurlement ne s'arrête pas, il se fond simplement dans le grondement électrique du gode-perceuse.

J'ai baissé entièrement le volume, mais on dirait que ce n'est pas suffisant. Parce qu'un cri est perçant quel que soit le volume. J'ai peur de le couper entièrement parce que je suis certaine que sans le son, tout va paraître dix fois pire.

Je jette un coup d'œil à la porte de la chambre.

J'espère vraiment que Jack dort.

J'essaie d'imaginer pourquoi une femme pourrait avoir envie de se soumettre à ce genre de truc. Je me demande pourquoi Anna voudrait s'y soumettre. La réponse se trouve pile sous mon nez.

Elle a le regard vitreux. Une espèce d'étrange extase peinte sur son visage. Un regard qui dit « encore » et « assez ». Les deux. En même temps. Un regard d'au-delà les limites de l'endurance. Un regard que je n'oublierai jamais. Je ne peux détacher mes yeux de l'écran. J'ai peur de me détourner. Je ne sais pas si j'ai envie de baiser avec Anna ou de la sauver.

Je n'entends la porte de la chambre que lorsqu'elle est ouverte. Lorsqu'il est trop tard et que Jack est là, tout nu, et se frotte les yeux.

Je pianote frénétiquement sur mon clavier.

Couper le son.

« Quelle heure il est ? » demande-t-il d'une voix ensommeillée.

Il vacille, mais il est encore un peu fâché.

« Tu m'as fait peur », dis-je.

Est-ce qu'il a entendu ?

Cacher le navigateur.

Je suis rouge de terreur à l'idée d'être découverte. Si parano que cela doit se voir sur mon visage.

Lancer le traitement de texte.

« Qu'est-ce que tu fais ? »

Il a entendu. Il sait. Il soupçonne.

« Une dissertation », lancé-je avant de pousser un soupir un peu trop appuyé.

Plus de questions. S'il te plaît, plus de questions. Je ne suis pas douée pour ça. Le truc de la culpabilité.

Il va se servir un verre d'eau dans la cuisine et repasse par le salon.

« Ne veille pas trop tard, dit-il en se penchant au-dessus de moi.

– J'arrive bientôt.

Il ne sait pas, il n'a pas entendu. Je le perçois dans sa voix, à présent. Je me sens idiote.

La culpabilité d'avoir mal agi remplacée par la culpabilité d'être idiote.

Et là, d'un coup, je suis distraite par sa bite. Juste au niveau de mon œil. Une bite de petit matin, replète et charnue. Ses couilles bien pleines qui pendent très bas. Parfois, je me dis que je pourrais donner l'heure rien qu'à la forme et à la taille de sa bite selon le moment, comme l'ombre sur un cadran solaire qui s'allonge puis se raccourcit. Je sais que si je pouvais fourrer la bite de Jack dans ma bouche maintenant, je pourrais aspirer toute la déception en lui et lui faire oublier tout ce qui s'est passé entre nous.

Il retourne dans la chambre et referme la porte. J'attends pour m'assurer qu'il ne va pas ressortir. J'attends autant que je peux. Je perds trente secondes à regarder inutilement la page vierge d'une dissertation que je n'ai nullement l'intention d'écrire. Puis je relance le site SODOME.

Je regarde Anna enfermée dans une cage en fer en forme de chien, à quatre pattes. Elle suit de si près les courbes de son corps qu'on dirait qu'elle a été forgée sur mesure. Seules ses fesses et sa tête ne sont pas prisonnières du métal.

D'après ce que je vois, toute la cage est électrifiée, car elle est reliée à des câbles qui courent sur le sol hors de portée du regard, et chaque fois qu'Anna se cogne aux barreaux, voire qu'elle les frôle, elle hurle de douleur. Exactement comme le ferait un chien.

La vidéo est montée en boucle sans coupure et la caméra tourne autour d'Anna, lentement, pour que l'on puisse capter les moindres détails.

Elle passe derrière les fesses d'Anna et je ne peux m'empêcher de remarquer entre ses cuisses ses grandes lèvres charnues, totalement et expertement rasées, sans la moindre éraflure, et la peau perlée de sueur. Elle est totalement lisse et imberbe, sauf le duvet châtain de sa toison pubienne soigneusement taillée en forme de patte de lapin.

De son cul sort un gros plug en aluminium étincelant qui ressemble à une bombe H. Et du plug s'échappent plusieurs câbles noirs qui sont reliés par des pinces crocodile aux barreaux de la cage.

Les grandes lèvres d'Anna sont maintenues ouvertes par des écarteurs en métal. On dirait des pinces à papier, mais le haut est muni de vis d'où pendent des fils de cuivre reliés aux prises d'une batterie de voiture posée sur le sol. Elle est pourvue d'un variateur de courant.

Je me dis qu'elle doit être simplement là pour impressionner, car même moi je sais que c'est difficile de prendre une décharge électrique avec une batterie de voiture. Une petite, peut-être, mais rien de mortel. Quand bien même, il y a plus de câbles électriques dans le bas du corps d'Anna que derrière un ordinateur de bureau. Et cela me met mal à l'aise.

Quand on voit Anna – charmante, sexy, drôle, insouciante –, on n'imaginerait jamais ce qui se cache derrière cette façade. C'est comme si cette Anna, celle que je regarde, était une personne différente. Pas la Anna assise derrière moi en cours. Pas même celle qui a remonté ses manches pour me montrer les marques et les bleus sur ses poignets et ses bras.

Cette Anna se met délibérément en danger. Sans savoir vraiment dans quoi elle se fourre ni comment elle va réagir. Si elle peut l'endurer ou si cela va la briser.

Malgré tout, je trouve cela absolument captivant. Je ne peux m'empêcher de regarder. Je suis collée à l'écran. J'ai besoin de voir ce qui va suivre. Je suis attirée vers l'image comme j'ai toujours été attirée par ce qui me fait peur. Je me projette dans Anna, tout comme je me suis projetée dans Séverine. Et je veux comprendre pourquoi.

CHAPITRE 9

Aujourd'hui, à l'université, une fille s'est tuée. Elle s'appelle Daisy. S'appelait.

Jolie. Gentille. Et intelligente. Je ne la connaissais pas, mais Jack, si. Elle travaillait au QG de campagne.

Tout le campus est en état de choc. On le sentirait presque dans l'air. Quand quelque chose comme ça arrive, cela affecte chacun et rapproche tout le monde. Les campus universitaires sont comme des villages. Il n'y a que deux ou trois degrés de séparation entre les gens. Tout le monde connaissait quelqu'un qui connaissait Daisy. Et tous ont besoin de comprendre, veulent comprendre, donner un sens à ce qui n'en a pas, pour pouvoir affronter les faits, les dépasser et aller de l'avant. Mais la mort a tendance à faire sentir sa présence longtemps après un drame. Elle a tendance à s'attarder.

Et de toute façon, cela se produit constamment.

Daisy n'était pas la première. C'était la troisième cette année. La deuxième du trimestre. Toutes des filles qui semblaient avoir tout pour elles. Et qui ont estimé qu'elles n'avaient rien.

Je vois bien que Jack est ébranlé. Mais il répète que ça va. Il est tellement macho, dans son genre. Il refuse de montrer sa faiblesse, il veut que je croie qu'il tient le coup, et je sais qu'il peut encaisser, mais je m'inquiète quand même.

Bob DeVille a fermé le QG de campagne pour la soirée, en signe d'hommage. Ce n'est pas une décision facile avec une élection dans deux mois, mais il a eu raison. Le personnel a décidé de faire une veillée improvisée pour Daisy. Bob y passera pour prononcer quelques mots, diriger la prière et rassembler les troupes. Comme tout bon chef dans un moment de deuil.

Jack dit toujours en riant qu'il ferait un président génial. Je lui réponds à chaque fois qu'il voit trop loin. Bob n'est même pas encore élu sénateur. Mais Jack a de grands espoirs, il admire Bob comme une sorte de figure du père, et qui suis-je pour l'en dissuader ? Peut-être qu'il a raison après tout.

Je veux aller avec Jack ce soir. Je veux être avec lui pour le soutenir.

« Non, dit-il. Tu ne la connaissais pas. Mieux vaut que j'y aille seul. »

Je comprends pourquoi, néanmoins je m'inquiète pour Jack. Je voudrais l'aider. Il ne s'ouvre pas à moi. Il se mure. Je suis frustrée. Je veux être à ses côtés et il me repousse. Et cela me déchire.

Quand Jack s'en va, je me sens abandonnée. Je ne veux pas rester ici toute seule comme ça, avec mes sombres pensées. Il lui suffisait de me dire : « Viens avec moi ». Mais il n'a rien dit. C'est son droit. Je ne veux pas me fâcher contre lui, mais je suis contrariée malgré moi. La seule manière de ne pas devenir folle à force d'y penser, c'est d'appeler quelqu'un.

Je téléphone à Anna. Elle sait déjà ce qui est arrivé à Daisy.

« Tu la connaissais ?

– Non, répond-elle, mais nous avions un ami commun. »

Je veux me confier à Anna, mais je ne veux pas parler de Jack. Je veux parler de tout sauf de Jack et, du coup, je lui sors la première chose qui me vient à l'esprit.

« J'ai regardé le site Web, dis-je. Celui dont tu m'as parlé.

– SODOME ?

– Oui. Je n'ai jamais rien vu de tel de ma vie. Ça ne ressemble pas à du porno, en tout cas, pas au porno que je connais. Ç'a l'air effrayant.

– Ce qui compte, ce n'est pas l'allure que ça a, répond Anna, mais l'effet que ça fait. Ce n'est pas une question de scénario ou de situation, mais d'effet produit sur toi. Ce qui se passe dans ton corps et ton esprit. Si c'est fait correctement, c'est vraiment agréable. »

Anna veut que je comprenne ce que ça fait d'être suspendue au-dessus du vide, uniquement maintenue par des cordes qui vous entravent le corps, ou d'être enfermée dans une cage sans aucun moyen d'en sortir.

« Je me sens totalement impuissante, dit-elle, alors je me laisse simplement aller et c'est la sensation la plus agréable qui soit. Je suis hyperconsciente de mon corps, du moindre muscle ou du moindre tendon, de chaque pouce de ma personne. Je ressens le moindre mouvement ou changement. Et je suis sensible au plus infime stimulus. À chaque mouvement dans l'air autour de moi. Le mouvement des cordes qui griffent et brûlent mes poignets, mes chevilles, le tour de mes seins.

« Ce n'est pas douloureux ? je demande.

– Tout le monde a ses limites, dit-elle. Les miennes sont très élevées. Quand je suis attachée, au début, j'éprouve un fourmillement dans tout le corps, comme s'il était parcouru par de l'électricité. Mes doigts et mes orteils s'engourdissent à force d'être si serrés, puis une sensation de brûlure cuisante se répand dans mes bras et mes jambes. Jusqu'à devenir insoutenable. Et la douleur se retourne et se transforme en plaisir, le plus intense qui soit. Tout s'inverse. La douleur devient plaisir. Le plaisir devient douleur. Et je veux tout faire pour l'augmenter, faire en sorte que cela ne s'arrête jamais tellement c'est bon. J'ai connu les orgasmes les plus intenses quand j'étais attachée, ajoute-t-elle. Tellement intenses que je me suis évanouie et réveillée toujours suspendue, et tout a recommencé. »

Elle me dit qu'on perd la notion du temps très rapidement quand on est suspendue ou attachée, comme si on était sous hypnose.

« C'est comme si j'étais en transe, reprend-elle. Une transe érotique. Comme si j'étais dans cette position depuis quelques minutes, mais ça pourrait aussi bien être des heures. Je suis hors du temps et cela paraît interminable. Et j'ai peur de ce qui pourrait arriver si c'était le cas. »

C'est à ce moment, explique Anna, que prise entre la peur de désirer et de ne pas désirer, elle a l'impression de frôler la folie.

« Mais je me sens tellement débordante de vie, dit-elle. Plus qu'en toute autre circonstance, et en paix. Je me sens transcendante. »

C'est la première fois que je l'entends parler comme ça. D'habitude, elle est insouciante, elle glousse. Là, elle est sérieuse et j'entends dans sa voix qu'elle pense vraiment ce qu'elle dit.

Je me rappelle l'expression que j'ai vue sur le visage d'Anna à l'écran. À présent, je me représente mieux ce qu'elle éprouvait. À présent, je veux en savoir encore plus. Je veux savoir ce que c'est d'être dans l'univers d'Anna.

Elle pense en avoir dit assez, pour le moment. Je le sais parce qu'elle n'achève pas et qu'elle se tait mystérieusement avant de changer brusquement de sujet.

« Qu'est-ce que tu fais, là ? demande-t-elle.

– Pas grand-chose.

– Il faut que je te présente Bundy, dit-elle d'un ton un peu malicieux.

– Pas de problème.

Je ne réfléchis même pas. Je sais qu'il s'écoulera au moins quelques heures avant que Jack rentre, et je ne veux pas rester toute seule à mijoter dans mon jus.

CHAPITRE 10

«Jette un coup d'œil à ça», dit Bundy.

Il fait défiler une série de photos sur son téléphone si vite que je ne distingue pas ce que je regarde, à part un kaléidoscope de couleurs criardes et de gros plans pris sous des angles bizarres.

Bundy feuillette les photos de son téléphone comme un représentant débutant exécutant sa première présentation devant un parterre de clients importants, tellement tendu qu'il en oublierait de lâcher la télécommande et ferait défiler toutes ses diapos d'un seul coup.

Des diapos qu'il aurait passé trois jours sans dormir à peaufiner pour être prêt à temps pour ça, sa première grosse vente.

Tout est passé en moins de trente secondes.

Et il reste là, le nez levé vers un écran vide, avant même d'avoir terminé son petit laïus sur sa première diapo, en espérant empocher sa commission ce mois-ci.

Bundy n'est pas tendu, il est juste excité. Il essaie de me vendre quelque chose. Il essaie de me vendre l'idée de sniffer une ligne de cocaïne étalée le long de son sexe.

Je me rends soudain compte que c'est ce que représentent la plupart des photos, quand il en vient à s'attarder sur l'une d'elles un peu plus que sur les autres. Un portfolio de filles qui sont précisément en train d'exécuter cela. C'est son argumentaire de vente pour les imprudentes. Pas facile à vendre, mais il se donne à fond.

Nous venons à peine de faire connaissance. À vrai dire, nous venons juste d'être présentés par Anna. Bundy ne dit pas « salut » ou « ravi de te connaître », il dit « jette un coup d'œil à ça ». Et il sort son portfolio de conquêtes.

C'est ce que fait Bundy.

Il va à la pêche dans les clubs, les bars, les magasins de fringues, les fast-foods, les files d'attente aux caisses de supermarchés, en quête de filles mignonnes. Mais il ne suffit pas qu'elles soient mignonnes. Il faut aussi qu'elles soient bien disposées.

Il appelle ça « se faire de nouvelles amies ».

Les preuves de ces rencontres apparaissent quotidiennement sur son site Web, Bundy A Un Incroyable Talent, pour un public de crétins du monde entier.

Cela paraît innocent. C'est tout sauf ça.

Dans l'armée, on appelle cela « dérailler de sa mission ». Quand une campagne militaire dépasse ses limites originelles et change d'objectifs.

Là, c'est du déraillement porno.

Quand la pornographie outrepasse ses frontières et se fait passer pour quelque chose d'autre.

À peine les nouvelles « amies » de Bundy ont-elles fait sa connaissance qu'il sort son appareil photo et s'efforce de les convaincre de faire l'une de ces trois choses, là, tout de suite.

Montrer leurs seins. Montrer leur chatte. Sucer sa bite.

Les bons jours, les trois à la fois.

Les mauvais – et il faut bien le dire, la plupart sont mauvais – Bundy prend ce qu'il trouve. Il s'accommode du moins parce que le moins, c'est toujours mieux que rien du tout, et

Bundy n'est vraiment pas difficile. Un mauvais jour, il soutire ce qu'on appelle dans le milieu une photo volée, c'est-à-dire un cliché pris à l'insu du sujet. Une photo ensuite rangée dans un certain nombre de sous-catégories spécifiques: dans le décolleté, sous la jupe, l'entrejambe, coup d'œil sur le sein, la chatte, etc.

Bundy a l'air de se considérer comme le dénicheur de nouveaux talents du porno en ligne. Le spécialiste du divertissement adulte, le marionnettiste des incroyables talents du sexe – parce que c'est ainsi qu'il aime appeler les filles qui ont succombé à ses charmes douteux. D'incroyables talents.

Mais il a beaucoup trop d'amour-propre et un ego bien trop démesuré pour se qualifier de pornographe. Bundy se considère comme un artiste. Un intrépide chroniqueur du sexe et de l'homme célibataire – lui-même – à l'époque moderne.

En réalité, il y a un vaste abîme entre ce que Bundy croit être et ce qu'il est réellement.

Un photographe de métier. Un pornographe par défaut.

Un paparazzo en théorie. Un prédateur sexuel armé d'un appareil photo dans les faits.

Bundy se plaît à se qualifier d'entrepreneur en ligne et d'ingénieur de réseaux sociaux.

J'aurais plutôt tendance à le qualifier de branché en bout de chaîne alimentaire.

Vous le détestez déjà.

Mais non, voyons.

Anna me dit que Bundy a des tas de qualités. Elles ne sont tout simplement pas immédiatement évidentes. Mais elles sont là, si on passe outre le rictus ricanant, le regard vicieux et l'extrême cynisme qui colore tout ce qu'il fait. Et comme c'est l'ami d'Anna, j'ai envie de l'apprécier aussi. En même temps, je suis plus que consciente que Bundy est le genre de type contre qui votre mère vous a toujours mise en garde, celui qu'elle a toujours qualifié de « nid à problèmes ».

Au moins, ce genre de gars n'essaie pas de faire semblant. Ce qu'on voit, c'est la réalité. Et Bundy a de la suite dans les idées. Seulement, ce ne sont juste pas les bonnes.

Je lui accorde une chose. Il est amusant à fréquenter. Et on ne sait jamais ce qui va se passer, où on va se retrouver, ni avec qui.

Nous sommes dans un bar. L'un des repaires de Bundy. Le Bread & Butter, un bar de quartier avec un nom de cantine pour sans-abri. Le sol est sale, les murs aussi, la cuirette des sièges est craquelée, les verres sont ébréchés et les toilettes ne marchent pas ; la crasse et des pannes accumulées au cours des années véhiculent une certaine authenticité pour des gens qui n'en ont aucune – les Bundy et consorts, qui ont envahi cet endroit autrefois sans prétention et l'ont accaparé.

Le Bread & Butter est tenu par un type qui n'est connu que par son prénom, Sal, un ancien combattant grisonnant italo-américain qui est là depuis l'ouverture et n'aime vraiment pas la façon dont le quartier a évolué, son bar en particulier. Sal a donc décidé qu'il préférait insulter ses clients plutôt que de leur servir à boire. Il les insulte sur leur allure, leurs manières, leurs parents et, si cela ne marche pas, il va même jusqu'à sous-entendre qu'ils sont le pur produit de l'inceste ; n'importe quoi pour les faire réagir. Et ces gens pensent que cela fait le charme du lieu, ce qui le fait encore plus enrager. Mais Sal doit s'incliner devant l'inévitable, car il gagne plus d'argent aujourd'hui que jamais. Il se fait des mille et des cents sans même comprendre comment, parce que, pour autant qu'il sache, aucun de ses jeunes clients n'a de boulot.

Sal traite ses clients comme de la merde, mais il a un faible pour Bundy. La raison est toute simple. Bundy fait de la publicité gratuite pour Sal en présentant les talents qu'il découvre ici sur son site Web. En échange, Sal lui offre des consommations. Et, je dois l'avouer, Bundy est passé maître en la matière.

Utiliser des verres gratuits pour décrocher de la chatte à l'œil. Décrocher des verres gratos. Décrocher de la chatte gratos.

La technologie étant ce qu'elle est, il peut publier les photos immédiatement depuis son appareil. Elles sont en ligne quasiment à la seconde où il les prend.

C'est la philosophie de Bundy.

Publier d'abord. Demander la permission après.

Car Bundy considère déjà l'acte en soi comme un consentement éclairé. Et de toute façon, il va faire d'elle une star avant qu'elle ait eu le temps d'essuyer le sperme aux commissures de ses lèvres.

Bundy déclare: «T'es pas comme les autres filles.» Et je sais qu'il me sort une réplique qui a probablement marché mille fois. Mais pas cette fois.

«C'est-à-dire? je demande. Parce que ma bouche est reliée à ma cervelle et pas à ta bite?»

Il fait celui qui n'a rien entendu.

Bundy nous offre un verre à Anna et moi. Il se trompe pour le mien. J'ai demandé un jus d'orange. Je me retrouve avec une vodka-orange. Il croit que je ne vais pas m'en rendre compte.

Mignonne, l'astuce.

Je me dis qu'il pense: elle est déjà paquetée. Où est le mal si elle en boit un de plus. Ça va la décoincer. Et il veille à ce que je sois resservie rapidement et comme il faut. Ensuite, les photos vont ressortir et elles ne lui paraîtront plus aussi idiotes et dégradantes. C'est comme ça que ça marche. L'épuisement progressif. Je le vois venir.

Ce que Bundy ignore, c'est que je ne bois pas.

Et la dernière chose dont j'ai envie, c'est d'atterrir sur son site Web comme appât pour un pauvre débile qui rôde sur le Net dans l'espoir de trouver quelque chose sur quoi se branler.

Bundy A Un Incroyable Talent est simplement l'un de ses nombreux sites Web. Le vaisseau amiral d'une flotte de publications qui glorifient la vision pourrie qu'a Bundy de la vie, du sexe, de la sexualité, des femmes et de lui-même.

Il aime à croire que chaque site exprime un aspect différent de sa personnalité, comme les gens qui portent des lunettes différentes selon leur humeur. Seulement, comme avec des lunettes, ce qu'on a devant soi est essentiellement ce qu'on voit. La seule chose qui change vraiment, c'est la couleur des montures. Et la personnalité de Bundy n'existe qu'en une seule couleur.

Donc, les sites de Bundy sont dans l'essence interchangeables. Titres différents. Même contenu. Plus d'occasions de vendre de la pub.

« Ce qu'il y a avec Bundy, dit Anna de sa voix rêveuse et innocente si attendrissante, c'est qu'on le devinerait jamais à première vue, mais c'est une sorte de génie. »

Je ne suis pas convaincue.

La forme de génie que possède Bundy a échafaudé un site Web appelé Red Hot Cherry Poppers, pour assouvir sa prédilection pour les filles jeunes et idiotes qui ne le voient pas arriver avec ses gros sabots.

Il en a inventé un autre qui s'appelle Caramel Candy Cotton Coochies pour exprimer son côté mignon et romantique. Son côté porte-clés Hello Kitty.

Et n'oublions pas IAF – c'est-à-dire Interdit Aux Fifs. Pour exprimer la terreur de Bundy de passer pour gai. Pas de l'homophobie ordinaire. De l'homophobie déguisée en ironie.

Comme si ça changeait quelque chose.

Tout cela faisant partie de la panoplie et du credo du branché auquel Bundy souscrit pleinement.

Le racisme comme commentaire social. L'intolérance arborée avec fierté. La misogynie comme choix de vie. L'ironie comme parti pris de style.

Vous savez peut-être que les membres des gangs qui ont commis un meurtre particulièrement sanglant se font tatouer une larme sous l'œil, pour avertir sans équivoque tous leurs semblables qu'ils ont gagné leurs galons et qu'il vaut mieux NPJALN – Ne Pas Jouer Avec Leurs Nerfs.

Eh bien, Bundy n'a pas de larme. Il a un beigne de la taille d'une larme. Avec un léger glaçage rose.

En Russie, les membres des gangs, qui s'ennuient à crever dans leurs lointains goulags, passent le temps en se tatouant une traînée de larmes, malheurs et violences sur le corps – crânes et poignards, têtes coupées et scènes de crucifixion –, censée raconter la véritable histoire de celui qui les porte.

Eh bien, ceux de Bundy racontent l'histoire de sa personnalité, et ce n'est pas du joli non plus. Plutôt une parodie d'art corporel. Une parodie de parodie d'art corporel de bas étage. Comme si Dieu s'était mis en tête de faire de lui un exemple, celui d'un imbécile ambulant et parlant couvert de tatouages qui auraient honte de se qualifier comme tels.

Pourtant, ils font la joie et l'orgueil de Bundy. L'encre qui vous fait penser que peut-être, tout juste peut-être, Paris Hilton n'est pas la séquence d'ADN la plus conne à marcher sur cette terre. Ou alors qu'Albert Einstein est peut-être le genre de génie qu'il a toujours aspiré à être.

Son tatouage est véritablement le secret du succès de Bundy, si on peut appeler cela ainsi, avec les dames.

Mais pas avec moi.

Bundy a déjà décidé que j'étais une cause perdue et cherche de la viande fraîche. Il a fondu sur une fille qui semble avoir du potentiel. Une jolie petite branchée un peu geek avec des lunettes carrées, du rouge à lèvres noir et un T-shirt de Mayhem. La fille qui s'essaie au genre black metal et qui se plante lamentablement.

« Contente-toi de regarder », dit Anna.

Et j'ai le droit de voir Bundy entrer en action. D'assister à son petit numéro habituel. C'est simple, vraiment. Et je me rends compte qu'Anna a raison. C'est si simple que c'en est presque du génie.

Bundy parle à cette fille et il sait qu'il l'a amenée là où il veut, mais elle continue de faire la difficile. Alors il sort sa carte maîtresse.

« Je te promets qu'une fois que tu auras vu ma bite, dit Bundy, tu vas vouloir la mettre dans ta bouche. Je te le garantis. Plutôt deux fois qu'une. »

Il dit cela en ronronnant comme un gentil matou. Et pour en rajouter une couche, il fait de grands yeux de chiot. Parce qu'il sait que s'ils sont allés aussi loin, si elle est toujours devant lui à l'écouter, si elle s'est laissé faire jusqu'ici, elle va probablement aller jusqu'au bout et qu'il n'aura pas besoin d'essayer de la persuader beaucoup.

Et Bundy sort sa bite. Il la laisse pendouiller hors de sa braguette pour que cette jolie-petite-branchée-un-peu-geek-qui-essaie-de-faire-genre-black-metal-et-qui-se-plante-lamentablement comprenne bien ce qu'elle est en train de regarder.

Le gland du sexe de Bundy.

Avec MANGE tatoué dessus.
Et MOI dessous.
Comme le champignon d'*Alice au pays des merveilles*, sauf que le côté qu'on mange n'a aucune importance.
Et je ne sais pas qui me fait le plus de peine.
Le tatoueur qui l'a dessiné là.
La fille qui va le mettre dans sa bouche.
Bundy.
Ou ses parents.
Ses pauvres parents.
Les parents de Bundy étaient des yuppies.
Vous le détestez encore plus.
Mais non. Laissez-moi finir.

Les parents de Bundy étaient des yuppies qui ont fait fortune grâce à un boom financier à l'époque où les yuppies, le sida, Madonna et le crack étaient ce qui comptait avant tout. Cet imparfait n'étant pas employé par hasard. Peu après la naissance de Bundy, ils claquèrent tout. Dans des orgies de dépenses alimentées par le crack, pour acheter des merdes dont ils n'avaient sûrement pas besoin et encore moins envie. Des merdes qu'ils vendirent plus tard pour rien afin de payer des cailloux de crack qui, avec l'inflation, coûtaient plus qu'un gros diamant brut sorti en contrebande de la Sierra Leone. Donc, oui, étant petit, Bundy n'a pas eu une vie facile. C'est ce qu'il me raconte, dans un dernier stratagème, pour jouer la carte de la compassion.

Tout cela a eu lieu dans les années quatre-vingt, mais si vous aviez demandé vous-même à Bundy, il aurait été un peu vague sur les dates, pas très chaud pour livrer les détails importants de sa vie, comme sa date de naissance. Tout ce que je réussis à tirer de lui, c'est ceci :

« C'était après la cartouche huit-pistes et avant le CD, dit-il. Quand The Police étaient encore cools et avant qu'ils soient nuls. Quelque part entre des albums qui se sont bien vendus, peut-être après *Thriller* et avant *Purple Rain*. Ou peut-être l'inverse. »

Bundy dit qu'il ne se souvient pas parce qu'il était tout juste bébé. MTV était allumée tout le temps et il était planté devant dans son parc gonflable pendant que ses parents sniffaient des lignes de coke grosses comme des cigares cubains sur une table basse tachée avec des pailles en argent monogrammées.

Mais à l'époque, MTV n'était qu'un brouillard de coiffures crêpées et de mascara, de boîtes à rythmes et de synthés, et c'était difficile de distinguer Duran Duran de Kajagoogoo ou de Mötley Crüe.

– C'était après Martha Quinn et avant Downtown Julie Brown. Non, attends... entre Adam Curry et Kurt Loder.

Il essaie de me faire croire qu'il a le syndrome d'Asperger et qu'il se rappelle comme un idiot savant tous les vidéojockeys de MTV dans l'ordre de leur apparition. Mais je n'ai aucune idée de ce dont il parle, car quand je suis née, les VJ et MTV n'étaient qu'une relique du passé et MC Hammer avait la mauvaise idée de ressusciter en faisant un *comeback* dans le gangsta rap.

D'après tout ce qu'il m'a dit, je peux en déduire trois choses. Bundy est beaucoup plus vieux qu'il n'en a l'air. Trop vieux pour avoir ce *look*. Et sans conteste assez vieux pour ne pas être aussi bête.

Les parents de Bundy l'ont aussi gratifié d'un deuxième prénom, Royale – avec un « e » superflu – pensant que cela donnerait à leur premier-né un statut de souverain, alors que cela fait juste penser à un parfum de crème glacée de luxe de Ben & Jerry's.

Cerise Garcia.

Cerise Garcia Royale.

Bundy Royale Tremayne.

Et là, vous avez en gros la source de tous les problèmes de Bundy. Charles Foster Kane avait sa fixation sur sa mère. Bundy Royale Tremayne a son nom. Qui lui a été donné par ses parents sur un coup de tête au lendemain d'une violente cuite. Et, prise de remords, c'est là que sa mère décida d'arrêter la drogue.

Ce fut aux environs de son deuxième trimestre. Sa grande idée. Que peut-être un régime régulier de crack, biscuits fourrés à la crème, fromage à tartiner et beaujolais nouveau n'était pas très indiqué pour la santé future de son enfant à naître.

Pour les parents de Bundy, ce fut une décision si importante qu'ils tinrent à graver cette soirée dans leur mémoire en baptisant leur futur enfant. Le crack n'étant pas si indiqué que cela pour les longues réflexions, ils s'inspirèrent de ce qui passait à la télé ce soir-là. Ils le baptisèrent durant une pause publicitaire dans un documentaire policier, en s'inspirant d'un tueur en série particulièrement haïssable et d'une astuce marketing nulle destinée à vendre de la malbouffe aux drogués.

Quant à Tremayne, même si ça sonne comme le nom d'un médecin dans *Hôpital central*, cela faisait partie de la donne de départ.

Comme si tout cela n'allait pas forcément conduire à une énorme crise d'identité un peu plus tard, dès que leur charmant bambin a commencé à marcher, parler, chier et réfléchir tout seul.

Dire que Bundy est né avec un handicap est très, très loin de la vérité. Mais je dois avouer qu'il s'en est admirablement tiré. Il est allé très loin, étant donné les circonstances.

Il est presque célèbre. En tout cas, il a une petite réputation, même si elle est mauvaise.

Le monde est à ses pieds.

Et des petites salopes sans amour-propre sont à genoux devant lui.

Bundy en est à sa victime numéro trois en moins d'une heure. Et comme il est chaud, à présent, il ne faut pas bien longtemps, peut-être quatre-vingt-dix secondes, pour que sa bite pendouille à nouveau de sa braguette, tatouage prêt pour l'inspection.

D'après ce que je vois, de l'endroit où Anna et moi sommes assises, au bar, la bite de Bundy a l'air d'une saucisse allemande cuite à l'eau, dont la farce à base de viande très pâle et d'herbes remplit un boyau épais et caoutchouteux comme un préservatif en peau de porc. La peau ne se mange pas et n'en donne pas envie de toute façon. Pour la cuire, on la laisse dans une casserole d'eau chaude hors du feu, puis on la perce et on la pèle.

Sinon, vous tenez la saucisse gauchement entre les pouces et index des deux mains, vous portez le petit trou du bout à vos lèvres et vous aspirez, encore et encore, jusqu'à ce que la peau s'affaisse et que la viande jaillisse dans votre bouche.

La bite de Bundy ressemble à ce genre de saucisse. Courte, épaisse et pâle, avec un gland large et plat, comme un pleurote, ou un chapeau en papier sur lequel quelqu'un s'est assis. MANGE-MOI est gravé autour en épaisses lettres gothiques.

Si vous trouvez que ce n'est pas du tout ragoûtant, que c'est le genre de chose que vous ne voudriez pas fourrer dans votre bouche, c'est bien ça.

Ce n'est pas le genre de chose que j'ai envie de mettre dans ma bouche. Mais cela n'a arrêté aucune de ces filles.

Ni de sniffer de la coke dessus non plus. Peut-être qu'elles se sont dit que c'était un compromis facile à faire. Pour ne pas avoir à découvrir si elle a aussi mauvais goût qu'elle en a l'air.

Et j'ai de la peine pour elles. Pas parce qu'elles se sont compromises. Mais parce qu'elles l'ont fait pour une si mince récompense.

Pas même une ligne.

Plutôt une petite pincée.

Qu'est-ce qu'ils ont, ces gars à petite bite, d'ailleurs ?

Ils ont toujours quelque chose à prouver, il faut toujours qu'ils vous montrent de quel bois ils sont faits. Il faut toujours qu'ils vous disent qu'ils en ont une grosse. Que les femmes leur disent qu'elle est énorme. Et ils ne se font pas pincer, pour une seule et unique raison.

Parce que « grosse » est un terme tout à fait relatif.

Quand vous avez enfin le droit de la voir, après tous ces discours, cela ne peut être qu'une déception et vous essayez de ne pas le montrer. Parce que, en fait, « grosse », ce n'est parfois pas plus imposant qu'une saucisse cocktail avec un petit nœud de peau au bout.

Et ceux qui ne veulent pas vous dire comment elle est, ceux qui se croient plus malins que ça, ceux qui s'acharnent à vous la montrer, plutôt.

Ils sortent une poignée de Polaroïd mal composés et pris par leurs soins d'eux en train de sauter leur copine en prétendant qu'il s'agit d'une recherche artistique.

Gros bonhomme. Petite bite. Quelque chose à prouver.

Parce qu'ils viennent seulement de se rendre compte de quelque chose que tout le monde à Hollywood, tout le monde dans l'industrie du porno, sait depuis des années et des années.

Tout paraît plus gros à l'écran.

Tout, mais alors vraiment tout.

Que ce soit Tom Cruise.

Ou une bite de sept centimètres.

Car, malgré ce que vous avez pu entendre, la caméra ment toujours.

Sinon, ils s'acharnent à vous montrer des photos prises sur leur téléphone de quelque pauvre fille seule qu'ils ont levée avec leur meilleur ami dans un bar un soir, et convaincue à force de verres payés avec la carte de crédit de leur père jusqu'à ce qu'elle soit complètement saoule. Puis ils l'ont ramenée à leur appartement, pratiquement inconsciente et installée sur le canapé avant de lui défoncer la bouche à coups de bite. D'abord l'un après l'autre. Puis ensemble.

Ils lui ont défoncé la bouche jusqu'à jouir tous les deux. Simultanément. En se répétant que ce n'est pas parce qu'ils se frottaient la bite sur celle de leur meilleur ami dans la bouche d'une fille.

Mais parce qu'elle les a royalement sucés.

Sinon, ils lui défoncent la bouche jusqu'à ce qu'elle se réveille, se rende compte de ce qui lui arrive et vomisse.

Tout dépend de l'ordre dans lequel ça se passe.

Bundy a un site Web pour ça aussi. What Girls Want.

Aucune ironie là-dessous.

Entièrement consacré aux archives personnelles des filles de Bundy, à divers stades de déshabillé et d'ébriété, en train d'engloutir son sexe.

Malgré tout, je n'arrive pas à lui imaginer un public nombreux, en dehors de lui-même. Et les femmes qui apparaissent dessus doivent considérer l'expérience comme une consigne à observer par la suite :

Ne jamais accepter de verres de la part d'inconnus dans un bar.

Le bar commence à être pas mal plein, maintenant. L'armée des fans radicaux de Bundy a déjà déduit où il se trouve d'après les coordonnées GPS des photos postées il y a à peine une demi-heure. Il commence à attirer une foule de gens. Ça va certainement déraper.

Cette pauvre fille pompe Bundy avec sa jolie petite bouche et il y a une bande de morons autour. Une bande de morons dans un bar branché, c'est atrocement déplacé. Ils descendent des Jägermeister et des Jack Daniel's en brandissant le poing en l'air et en scandant :

BUN-DEE.

BUN-DEE.

BUN-DEE.

Et ça le déconcentre. Forcément.

Alors Bundy fait quelques clichés, parce que c'est tout ce dont il a besoin, les télécharge et se retire.

Il passe son appareil à son cou, fonce sur Anna et moi, et déclare :

« Partons. »

Et nous foutons le camp.

CHAPITRE 11

C'est au petit matin que je rentre me coucher. Il est 3 heures, au moins, peut-être 4. Je ne pensais pas sortir si longtemps. La chambre est sombre et silencieuse. Je crois que Jack dort.

J'ai à peine posé la tête sur l'oreiller qu'il demande:

« Où tu étais ?

– Excuse-moi, dis-je.

– Où tu étais ? » répète-t-il.

Je ne peux pas lui dire.

« Avec Anna. »

Un demi-mensonge.

J'attends que la conversation continue. Rien ne vient. Il n'est pas content. Je sais qu'il n'est pas content.

« Jack. (Pas de réponse.) Jack ? (Je lui touche le bras. Il se recroqueville et me tourne vivement le dos en roulant de son côté hors de ma portée.) Jack, je suis désolée », dis-je.

Qu'est-ce que je peux ajouter ? Toujours pas de réponse. Le silence est assourdissant. J'ai envie de hurler pour le couvrir, pour qu'il soit forcé de réagir.

La chambre est sombre et silencieuse. Cela dure une éternité.

Puis il répond :

– Nous en parlerons demain matin, Catherine.

Nous n'en parlons pas le lendemain matin. J'ai trop dormi et Jack est déjà parti. Je déteste me réveiller quand il n'est pas là. Certaines personnes ont peur de s'endormir seules. Moi, c'est de me réveiller en sachant que la nouvelle journée va m'accueillir avec un lit vide, et personne pour me serrer dans ses bras.

« Jack? » appelé-je.

Pas de réponse.

Je sais qu'il n'est pas content. Je me sens nulle, accablée par la terreur de ne pas savoir durant toute la journée si sa colère aura diminué le temps qu'il rentre. Et ce qui se passera sinon.

La colère de Jack, c'est comme un océan en furie; elle se remonte toute seule, sans se soucier des dégâts qu'elle provoque, sans remords pour ce qui se retrouve pris sur son chemin; il n'y a aucun moyen de l'éviter, ni de l'apaiser. Ce n'est pas une colère violente, mais une rage sourde; un dérèglement de la passion qui l'anime dans tout ce qu'il fait. Alors, la seule chose à faire est de patienter jusqu'à ce que le vent tombe, jusqu'à ce qu'il s'apaise et diminue. Jusqu'à ce que le calme reprenne le dessus. Mais ce n'est pas plus facile à supporter pour autant.

Je fais comme d'habitude pour apaiser mes angoisses, faire taire la voix dans ma tête qui n'arrête pas de parler. Je me masturbe.

Je ferme les yeux, je glisse les doigts entre mes cuisses et je pense à Jack, toujours endormi, comme si rien de tout cela n'était arrivé. Comme s'il ne s'était pas réveillé quand je me suis couchée. Comme s'il ne s'était rendu compte de rien sur le moment. Qu'il ait été 3, 4, 2 ou 1 heure du matin.

Je le réveille d'un baiser sur le front, mon doux prince, et je le regarde qui sort lentement du sommeil. Il lève vers moi un regard encore endormi et dit: « J'ai attendu, mais j'étais trop épuisé. »

Il ne dit pas : « Où tu étais ? » Froid et accusateur. Mais : « Tu es rentrée quand ? »

Et je mens. Un mensonge complet, cette fois, mais plausible, et il ne se doute de rien.

« Tu m'as manqué », sourit-il.

Il commence à m'embrasser, doucement, suavement, en pinçant mes lèvres entre les siennes. Il prend mes seins dans ses mains et frôle les tétons des pouces.

Le bras tendu, je me caresse là où s'accumule toute la sueur, où l'odeur de mon sexe est la plus forte. Je caresse, puis je lèche mes doigts et me caresse de plus belle.

Il mordille doucement ma lèvre supérieure, l'aspire. Tire sur mon téton, le fait rouler entre le pouce et l'index.

Je le sens durcir.

Lui aussi, je le sens durcir.

Je me sens mouiller.

J'humecte mon doigt, je le laisse glisser sur mes grandes lèvres en imaginant que c'est sa langue qui les écarte, tourne autour de mon clitoris et joue avec. Le sang me monte à la tête. Je suis tout étourdie.

Je sens le bout de sa queue qui rebondit sur ma cuisse alors qu'il passe au-dessus de moi, prêt à me pénétrer. Je me tourne sur le côté pour lui faciliter les choses, en pliant la jambe du dessus, comme une danseuse de french cancan, pour lui permettre de bien voir la piste alors que son appareil s'apprête à atterrir.

Il saisit sa bite, la guide vers ma chatte, vers le trou, là où c'est le plus humide. Il s'insinue, juste assez pour se mouiller le gland. Se retire et le fait glisser sur ma chatte, m'enduisant de mes propres sécrétions.

Il me pénètre de nouveau, juste assez pour enfoncer le gland. Et il ne bouge plus. Ni dans un sens, ni dans l'autre. Il attend. Il me taquine.

Et mon doigt tourne autour de mon trou, recueille un peu de mes sucs et l'étale sur mon clitoris, le mouille, le frôle, le sent gonfler.

Il s'enfonce en moi.

Je m'enfonce un doigt. Et je gémis.

Sa bite me distend le trou. Et je sens ma chatte qui se referme sur son gland.

Deux doigts, à présent.

Il entre lentement. Pour me titiller. Il glisse jusqu'au bout au point d'appuyer sur mon pelvis. Je le sens tout au fond de moi. Il ne bouge pas. Pour me titiller.

J'ai enfoncé deux phalanges à présent, et la troisième est bientôt entière. J'enfonce les doigts le plus que je peux. Ils ruissellent d'un suc gluant et visqueux. Et d'un blanc de neige.

Jack bouge, pivote légèrement sur ses hanches comme s'il pilotait un bateau et bougeait à peine la barre pour faire tourner le gouvernail. Et je sens sa bite bouger en moi, frôler délicatement la paroi.

Et soudain je sens que je suis sur le point de jouir. Un raz-de-marée monte en moi et je ne peux le retenir. Je n'en ai pas envie. Je veux être submergée. Je veux le sentir en moi et je veux jouir.

Je vais jouir.

Et au moment où je jouis, je crie son nom. Parce que je veux qu'il l'entende, même s'il n'est pas là.

Jack, je vais jouir.

Jack, je jouis.

Je jouis, Jack.

Jack…

Je sursaute et m'arc-boute quand l'orgasme me foudroie. Ma chatte se resserre sur mes doigts et je sens les draps trempés sous moi. Mais je n'en ai pas terminé. Je ne suis pas comblée.

Ma chatte est un petit animal constamment affamé. Qui ne sait pas quand s'arrêter de manger. Ma chatte a faim tout le temps. Et je ne peux m'empêcher de la nourrir. Alors un autre scénario.

Cette fois, Jack rentre, encore bouillonnant de colère. Et je veux seulement que ça finisse, qu'on n'en parle plus.

Tout de suite.

Alors je prends les devants, je lui donne une explication et je laisse les vagues déferler sur moi. Et quand c'est terminé, nous nous sentons tous les deux nettoyés, à vif, sentimentaux et en phase. Nous avons tous les deux envie de baiser.

Il n'y a rien de mieux que de se réconcilier en baisant, pour combler un vide et panser les blessures. C'est brutal, furieux et violent, comme la première fois que nous avons baisé ensemble. Ou si c'était la dernière.

Pas dans le lit, n'importe où sauf dans le lit. Peut-être debout contre le mur. Moi face au mur, les mains au-dessus de la tête comme si je le retenais, que je l'empêchais de tomber sur nous, ma jupe retroussée au-dessus de mes fesses, ma culotte aux genoux, haussée sur la pointe des pieds. Jack qui me fout ses coups de queue par-derrière. Et tout ce que j'arrive à penser, c'est: « Vas-y plus fort! »

Et il a dû m'entendre, parce que c'est ce qu'il fait. Je me hausse encore plus sur la pointe des pieds pour qu'il puisse aller plus profond, et ça me fait tellement de bien que mes jambes se dérobent presque sous moi.

Je suis pliée en deux sur la table basse et Jack me baise une fois de plus par-derrière. Pas en levrette, mais accroupi, les mains appuyées sur mes reins pour se soutenir, il me baise à fond et sans ménagement. Et j'ai l'impression que sa queue va me transpercer la chatte, s'enfoncer dans la table, comme un gode-perceuse vivant. Et qu'on va se retrouver cloués là. En train de baiser, vissés à la table.

On baise sur le comptoir de la cuisine. Mes genoux sont accrochés aux épaules de Jack. Il est sur la pointe des pieds pour être pile au bon angle. Je glisse d'avant en arrière sur le comptoir à chaque coup de butoir et j'ai peur de tomber. Je tâtonne derrière moi en quête de quoi me cramponner. Je trouve le mur, l'étagère à épices, je me dis que ça va aller. Mais elle se décroche presque aussitôt et les épices se répandent partout sur le comptoir. Jack me baise et mes fesses s'enduisent de cumin, gingembre, ail, sel et poivre. Je marine dans mes sucs et mon cul est prêt à cuire, mais je jouis plusieurs fois avant qu'il dépose sa levure dans mon four. Au moment où je jouis, mon trou de balle se dilate et aspire une pincée de piment. La douleur est insoutenable. Mon trou de balle brûle et j'ai la chatte en feu. Les flammes qui consument mon corps lèchent ma cervelle. Nous sommes tous les deux consumés par la chaleur de notre amour.

Je suis allongée à même les dalles, sur le dos, bras et jambes accrochés aux siens, comme un bébé singe qui se cramponne sous sa mère. Et Jack me martèle tellement fort que j'ai envie de crier mais, au lieu de cela, j'enfonce mes ongles dans son dos et remonte jusqu'à ses épaules. J'ai l'impression de l'avoir fait saigner et cela doit lui plaire, parce que ses coups de butoir redoublent de violence. Quand nous finissons par jouir, nous avons traversé tout le couloir, depuis l'entrée jusqu'à la salle de bains, et j'ai des brûlures de friction tout au long du dos.

Je fais défiler à toute vitesse ces scénarios dans ma tête, comme si je zappais d'une chaîne porno à une autre dans un hôtel pour essayer de m'exciter simplement en regardant leurs bandes-annonces. Et je les repasse encore et encore tout en me tripotant à en perdre la tête. Je me fourre à en avoir mal aux doigts et à la chatte. Jusqu'à ce que le plaisir devienne intolérable. Jusqu'à ce que je me sente brisée.

Je suis allongée sur le lit, emmêlée dans des draps trempés, épuisée, l'esprit flottant quelque part entre demi-sommeil et inconscience. Et je me rappelle que la nuit dernière, j'ai fait un rêve très étrange. Du moins je pense que c'était un rêve. Mais je ne peux en être sûre et je n'ai aucun moyen de le savoir. Tout ce que j'ai, c'est ce souvenir, la sensation de savoir.

Je me rappelle que juste avant de m'endormir, j'ai entendu un tambour. La pulsation d'un gros tambour sourd; lente, insistante, résonnant comme le fracas de l'océan. Je l'entends au loin, puis plus près, plus encore, jusqu'à ce qu'il soit sur moi, qu'il glisse le long de mon corps, en remontant des pieds jusqu'à la tête.

Des vibrations déferlent en moi par vagues, laissant dans leur sillage un fourmillement de chaleur. Dans mes doigts et mes orteils, le long de mes bras et de mes jambes, tourbillonnant dans mon ventre.

Puis le tambour est en moi, une pulsation régulière à mon entrejambe, un martèlement dans ma tête qui croît de plus en plus jusqu'à ce qu'une galaxie d'étoiles explose devant mes yeux. Et je vole au travers en tournoyant comme un gyroscope, tantôt dans un sens, tantôt dans l'autre. Ou bien ce sont elles qui me traversent, car je suis clouée sur place. Je ne peux pas bouger. Je suis à l'intérieur de mon corps et à l'extérieur en même temps. Je suis une galaxie d'étoiles.

Puis tout devient noir. Un noir d'encre. Comme si on avait éteint les lumières de l'univers. Je suis dans un espace sans début ni fin. Sans lumière. Sans son. Je suis engourdie. Je suis immobile.

Et je sens qu'on tire sur mon pyjama. Je ne résiste pas, je n'ai pas peur. Je le laisse glisser le long de mon corps.

Je suis transportée, nue, dans les bras d'un homme. Portée comme un bébé dans des bras si grands qu'ils semblent m'envelopper entièrement. Des bras si velus que j'ai l'impression d'être dans un manteau de plumes. Dans ces bras, je tangue et je roule comme un bateau sur l'océan, mais je me sens en sécurité – plus que jamais – et au chaud.

Et cette chaleur, je m'en rends compte, n'est pas due aux poils sur ses bras ni au sentiment de sécurité, mais au soleil. Un vif soleil de fin d'après-midi, qui brille et rayonne sur moi. Une lumière blanche qui m'aveugle. Une chaleur blanche qui m'enveloppe.

Je sens de nouveau la pulsation régulière dans mon entrejambe, mais j'ai l'esprit clair. Absolument clair, alerte et conscient. J'entends des voix autour de moi. Des voix qui raillent et se moquent de moi. Et j'ai la sensation d'être brusquement totalement exposée et j'ai honte de ma nudité. Je cherche désespérément à me couvrir et à disparaître. Mais je n'ai rien à ma portée, à part le soleil. Alors je le prends et m'en enveloppe comme d'une serviette. Tout redevient obscur et je frissonne.

Je me suis réveillée en sursaut de ce rêve et Jack n'était pas là, et je me suis sentie affreusement triste et seule et angoissée. Et je me suis caressée.

Jack ne rentre qu'aux alentours de minuit. Je suis sûre que c'est pour me contrarier. Je cours l'accueillir quand j'entends la porte s'ouvrir. Je veux me jeter à son cou, mais il me repousse.

« Catherine, il faut qu'on parle », dit-il, impassible.

Une vague d'angoisse me submerge. Il est encore fâché et je ne sais pas ce qui va suivre.

Il se rend dans le salon et s'assoit à un bout du canapé, penché en avant, les mains jointes devant lui. Je m'assois à l'autre bout comme un enfant qui s'attend à se faire gronder.

« Je crois qu'on devrait faire une pause », annonce-t-il.

Il refuse de me regarder dans les yeux.

Cela me fait l'effet d'un coup de poing dans le ventre. Comme si mon univers s'effondrait autour de moi.

« Pourquoi ?

– Tu te comportes bizarrement ces derniers temps, dit-il.

– Qu'est-ce que tu veux dire ?

– Tu sais très bien ce que je veux dire. »

Je ne sais vraiment pas de quoi il parle. Je commence à paniquer parce qu'il m'a froidement repoussée et que je sais qu'il n'y a pas moyen de lui parler.

« Qu'est-ce que j'ai fait ?

– Si tu ne sais pas, je ne peux rien dire de plus.

– S'il te plaît, Jack, ne fais pas ça. (Des larmes me montent aux yeux, mais j'essaie de me maîtriser.) On ne peut pas discuter ? Qu'est-ce que j'ai fait de mal ?

– Je vais être en déplacement pendant les prochaines semaines, reprend-il. C'est une bonne occasion pour mettre un peu de distance entre nous. »

Il dit ça parce qu'il a déjà décidé et qu'il ne veut pas me laisser la possibilité d'en débattre avec lui.

« Jack, s'il te plaît... »

À présent, je pleure et je le supplie à travers mes larmes.

Il ne bouge pas.

« Je m'en vais demain », dit-il dans un souffle.

C'est la première fois que je l'entends le dire.

« Pour combien de temps, je sanglote.

– Quelques jours », me répond-il.

C'est tout ce qu'il accepte de me dire.

« On ne se sépare pas, précise-t-il. J'ai juste besoin de réfléchir.

– OK... » marmonné-je.

Ça ne me plaît pas, mais je n'ai pas le choix. Et je ne veux pas le pousser à bout et rendre la situation pire qu'elle ne l'est déjà.

« Je vais dormir sur le canapé cette nuit », lâche-t-il enfin.

Je ne veux pas dormir seule, mais je sais qu'il n'y a pas moyen de le convaincre du contraire.

Je pleure jusqu'à ce que je m'endorme, et quand je me réveille, Jack est parti.

Et l'appartement paraît tellement vide sans lui.

CHAPITRE 12

Si vous n'avez jamais entendu parler de la Fuck Factory, vous ne pouvez pas savoir que cet endroit, ou même quoi que ce soit de ce genre, existe vraiment.

Et même si vous avez déjà deviné d'après le nom de quoi il s'agit – ce qui, soyons justes, n'est probablement pas trop difficile –, vous n'avez probablement pas la moindre idée de ce qui s'y passe.

Même dans vos rêves les plus fous.

Si vous ne savez pas qu'il existe et n'avez pas la moindre idée de ce qui s'y passe, c'est sans doute mieux. Mais comme vous êtes arrivé jusqu'ici, allez, tant pis, je vais vous le dire quand même.

C'est un *sexclub*. Le *sexclub underground* qui a la pire réputation du moment.

Si, par le plus grand des hasards, vous avez entendu parler de cet endroit et que vous voudriez vous y rendre, mais que vous ne savez pas où il se trouve, n'essayez pas de chercher, car vous ne le trouverez jamais.

Anna et moi sommes devant un entrepôt abandonné et à moitié en ruine dans un quartier de la ville où je ne suis encore jamais venue. Où je n'avais aucune raison de venir. Où personne n'a la moindre raison de venir.

Même le chauffeur de taxi qui nous a amenées ici ignorait totalement où il allait, et il a tourné en rond pendant vingt minutes en essayant de trouver le bon entrepôt délabré dans un coin où il n'y avait rien d'autre que des entrepôts, rangée après rangée. Pour une raison inconnue, les rues alentour n'ont pas de nom. Ni rues ni avenues, ni North, West, East ou South. Juste un chapelet de numéros, comme les filles sur le site Web d'Anna.

Mais à présent, nous y sommes. La lune est basse dans le ciel et il flotte dans l'air une fraîcheur tout à fait inhabituelle pour la saison. Je me gèle le cul avec ma chemise en jean nouée au-dessus du nombril, mon mini-short qui me remonte tellement dans la raie des fesses que je pourrais aussi bien être en chaps, mes jambes nues et mes talons aiguilles qui me font constamment trébucher sur le sol inégal. Je suis au coin d'une rue, j'ai l'air d'une pute et l'impression d'être carrément nue.

Jack et moi faisons une pause. Pour moi, c'est une manière tordue de dire «on est séparés». En fait, c'est pire. Ça fait mal comme une séparation, sans toutefois qu'on puisse faire son deuil.

Anna m'appelle, me demande si j'ai envie de l'accompagner à la Fuck Factory, il n'y a personne pour m'en empêcher. Qu'est-ce que Jack s'imagine? Que je vais rester toute seule chez moi à me lamenter sur mon sort? Pas mon genre.

La Fuck Factory est le club préféré d'Anna. Le seul endroit où, dit-elle, elle se sent vraiment chez elle, en paix et avec des gens comme elle. Elle dit qu'elle veut m'y emmener pour que je comprenne un peu mieux qui elle est et pourquoi elle fait certains trucs.

Ce soir, c'est soirée Bleu et Noir, et Anna a dû me rassurer trois ou quatre fois que ce n'était pas de cette couleur qu'on en ressortait.

Elle m'a expliqué : « C'est le *dress code*, idiote. »

Cuir et jean. Et strictement rien d'autre. Ni coton, ni nylon, ni polyester ni élasthanne.

Mais j'ai triché.

J'ai mis un soutien-gorge et une culotte sous mon jean.

Anna l'ignore. Ou si elle le sait, elle ne le montre pas.

Elle est passée à mon appartement. Nous nous sommes préparées ensemble et elle m'a apporté des vêtements parce que nous faisons la même taille. Anna soutenait mordicus que je devais me conformer au *dress code*. Elle m'a dit : « Il faut que tu suives la règle du jeu. C'est la seule. »

Et moi je tenais mordicus, *dress code* ou pas, à ce que ma pudeur soit sauve. Je les ai donc mis pendant qu'elle avait le dos tourné.

Elle m'a fait me regarder dans le miroir, en se plaçant derrière moi, les mains sur mes hanches, avec un sourire satisfait qui voulait dire qu'elle avait fait du bon boulot. Moi, j'ai surtout trouvé que j'avais l'air d'une salope *cheap*, comme doivent s'habiller les jeunes actrices qui veulent faire la couverture de *Playboy*, mais Anna m'a regardée en me disant : « Je pourrais te baiser. »

Juste après ça, j'ai trouvé un prétexte pour aller aux toilettes et c'est là que j'ai remis mes sous-vêtements – un string et un soutien-gorge demi-bonnet. J'ai vérifié dans le miroir qu'on ne voyait pas ma petite culotte, et rajusté un bouton pour que le décolleté soit visible, mais pas le soutien-gorge.

Anna a suivi la règle. Elle a enfilé une combinaison en cuir noir qui la moulait comme une seconde peau. Elle est munie d'un Zip qui va du cou jusqu'à l'entrejambe. Elle ne pourrait pas mettre de sous-vêtements même si elle le voulait, parce que ça se verrait et ça gâcherait tout. Et puis de toute façon elle l'a laissée ouverte presque jusqu'au nombril et elle a les boules à moitié à l'air.

Pendant qu'elle retouchait son maquillage, je lui ai demandé à quoi je devais m'attendre.

« Pas au bal des débutantes. C'est un endroit où les gens viennent pour baiser. Tu regardes, tu détailles ce qui se passe, tu choisis ce qui te dit et tu participes. Rien de bien compliqué. »

Anna me dit que la Fuck Factory est légendaire. Elle existait avant sa naissance. Elle a eu droit à la police plus souvent que Lindsay Lohan et Paris Hilton réunies, et elle a été fermée pour toutes les infractions aux règles d'hygiène et de sécurité possibles et imaginables, même les infractions les plus légères, n'importe quoi du moment que cela fournissait un bon prétexte. Et chaque fois, le club change d'adresse et recommence à zéro, loin du reste de la société bien élevée, loin de la civilisation, là où il peut exister sans redouter harcèlement et poursuites.

Aujourd'hui, c'est ici qu'il s'est installé.

* * *

Si un endroit s'appelait Nulle Part, c'est probablement à ça qu'il ressemblerait. Une zone de conflit. Comme ces photos qu'on voit d'une ville ravagée par les combats dans un territoire à l'autre bout du monde qui semble être dans un état de guerre permanent. Ou les ruines oubliées depuis longtemps d'une civilisation perdue. Une cité qui a été abandonnée depuis des siècles. Des rues désertes. Des bâtiments qui tiennent à peine debout. Pas d'habitants. Pas le moindre signe de vie.

C'est l'impression que l'on a ici. Angoissant et irréel. Deux filles dans une rue déserte aux confins d'une ville. Rien n'indique qu'il y a un club par ici. Pas de panneau. Personne. Rien qui indique qu'il y ait quoi que ce soit. En dehors d'un truc qui a l'air de graffitis. Aussi primitifs que des peintures du paléolithique. Ou d'un truc dessiné sur le mur des toilettes.

Une bite avec des couilles, qui crache quatre grosses larmes de sperme.

Des taches blanches sur un mur noir crasseux. Dessous, une paire de jambes dressées en l'air, en V, comme les cornes du diable. Cela me rappelle la manière dont les jambes d'Anna étaient attachées quand elle était ligotée sur le siège de toilettes dans la vidéo. Et entre les jambes, un trou. Un vagin dessiné crûment. Avec des dents. Des tas de petites dents pointues. Dessous, il y a une flèche dirigée vers le bas, vers un escalier raide qui descend sous la rue.

Alors que nous descendons les marches dans la pénombre, j'imagine ce que cela doit sentir dans la Fuck Factory. Peut-être comme dans un vieux bar en sous-sol, humide, à la fois moisi et sucré à cause de tout l'alcool consommé dans un espace aussi confiné. À chaque marche, je sens l'atmosphère de mystère et de déviance qui s'épaissit autour de nous.

En bas, nous nous retrouvons devant une porte noire anonyme, comme celle qui donnerait sur l'au-delà. Anna frappe deux fois, marque une pause, puis frappe encore trois coups. Et elle s'ouvre. Et quand elle s'ouvre, il n'y a pas beaucoup plus de lumière à l'intérieur qu'au dehors. Juste une semi-clarté si faible qu'il faut du temps pour s'y habituer. Une silhouette sombre et massive, le genre d'armoire à glace que l'on trouve toujours à la porte d'un club, nous fait entrer sans prononcer un mot.

Je suis Anna dans un long couloir, si étroit qu'on ne peut marcher que l'une derrière l'autre, comme un goulet dans une catacombe, puis nous descendons encore deux volées de marches. Nous sommes sous la ville, à présent. Et cela donne l'impression que nous sommes tellement loin que nous avons percé la terre pour atteindre un quartier de l'enfer.

Nous arrivons bientôt devant une grande porte en acier peinte en vert sale. Anna frappe à nouveau et elle s'ouvre, gardée elle aussi par une armoire à glace.

La première chose qui me frappe, c'est l'odeur. Au lieu d'un faible relent d'alcool et de moisi, cet endroit sent le sexe, l'odeur de corps brûlants qui se touchent et se mélangent.

La deuxième chose, c'est la chaleur. Humide. Le genre de chaleur qui vous fait transpirer dès la seconde où elle entre en contact avec votre peau.

La troisième, c'est le son. De la techno. Parce que, que serait un club sans techno, et en particulier, sans techno allemande ? De la gabber hardcore à un volume assourdissant. Rythme survolté qui vous désoriente – la musique idéale pour baiser.

Nous pénétrons dans une vaste salle rectangulaire aux murs de briques, avec un bar occupant tout un côté et un plafond tellement bas que je pourrais le toucher en tendant le bras. L'endroit est rempli de toutes les espèces de cinglés qu'on peut imaginer. Ceux qui ont l'air de cinglés, et d'autres qui le sont par nature, dans leur comportement. On dirait que tous les marginaux du monde ont été attirés ici. Ils ne savent pas pourquoi. Ils savent juste qu'ici, c'est chez eux. Qu'ici, ils ne seront ni jugés, ni condamnés ni regardés de travers. Qu'ici, ils pourront s'adonner à leur petit péché mignon, quel qu'il soit.

Deux grandes cages trônent de part et d'autre du bar, le genre où on élève un hamster, mais plus grandes, beaucoup plus grandes. L'une renferme une fille nue, l'autre un gars. Un plateau pour la nourriture et un biberon sont fixés aux barreaux ; l'un et l'autre sont vides. Un nain, seulement coiffé d'un haut-de-forme et juché sur le bar, jette à la fille des cacahuètes par les barreaux de la cage.

En face du bar s'ouvrent plusieurs couloirs voûtés qui mènent dans d'autres parties du club.

– C'est là que se passe vraiment l'action, me prévient Anna. Mais une fois que tu quittes cette salle, c'est comme un labyrinthe. Tu peux facilement te perdre et tu as l'impression que tu ne retrouveras jamais la sortie.

Je regarde autour de moi et je me dis que cela ressemble à toutes les scènes de clubs qu'on voit dans les films. Une musique bruyante pulse, il fait sombre et l'endroit est rempli de créatures bizarres qui ne ressemblent pas à des gens normaux, qui ont l'air à peine humaines. Et le héros cherche désespérément quelque chose ou quelqu'un de capital dans cet endroit manifestement pas fait pour lui. Où il n'a clairement pas envie de se trouver.

Et ce personnage, c'est presque toujours un homme – quelqu'un de coincé, refoulé et de fermement hétérosexuel. Une version masculine de Séverine, en quelque sorte.

Et le club est comme le lieu de travail de Séverine, le bordel. Le club représente un endroit où le sexe, sous toutes ses formes, acceptions et perversions, est autorisé à s'épanouir et pratiqué en dépit des lois, de la morale ou de quiconque. Et c'est une énorme menace pour sa virilité, pour le semblant d'ordre qui règne dans sa vie.

Mais il ne sera pas enculé. Il va avoir le droit de repartir sans que personne n'ait remis sa virilité en question.

On aura juste un peu joué avec lui.

Et en même temps, c'est une scène de club comme vous n'en avez jamais vue dans un film, comme vous n'en verrez jamais dans aucun film. Parce que les scènes de club au cinéma sont faites par des gens qui n'ont probablement jamais fichu les pieds dans un vrai club. Ils en ont juste recréé un pour leur crétin de film, afin que le héros puisse y errer avec un air effaré au milieu de monstres bizarres qui ont un curieux goût en matière d'habillement, et qui dansent comme des possédés au son de la pire musique que vous ayez jamais entendue de votre vie.

Les gens qui font les scènes de club dans les films n'ont jamais mis les pieds dans ce club ni aucun de ce genre. La Fuck Factory est un endroit où les gens ne se définissent *que* par leur perversion, leur fétichisme ou leur désir. Rien d'autre ne compte. Personne ne se soucie que vous soyez jeune ou vieux, ne veut savoir qui vous êtes ou ce que vous faites dans la vie, que vous soyez agent d'entretien ou PDG.

Anna me dit: «Il faut que tu rencontres Kubrick», et elle m'entraîne vers un vieux monsieur appuyé au bar. Kubrick est le propriétaire-gérant de la Fuck Factory. Pas Stanley, Larry, mais tout le monde l'appelle simplement Kubrick. Il est petit, gros, juif, un peu maniéré et chauve. Quand la vie vous refile une mauvaise carte, il y a de fortes chances qu'elle vous refile tout le paquet. Mais cela n'a pas l'air de gêner Kubrick. Il est heureux en Larry.

Kubrick a un sourire amical et est très tactile, mais il a l'air tout à fait inoffensif. Il arbore une longue barbe blanche, une cascade de cheveux et de poils blancs partout, sur les bras et la poitrine, sur son ventre qui a la taille et la forme d'un ballon de plage et qui n'est pas flasque, mais dur et tendu comme des muscles. On dirait le père Noël. Si le père Noël avait échangé son grand manteau rouge bordé de fourrure blanche pour un justaucorps en cuir noir avec le mot SADIQUE inscrit sur sa poitrine nue.

Kubrick a ce mot gravé sur la poitrine, et on dirait que ça a été fait avec un décapsuleur. C'est écrit en grosses lettres déchiquetées qui s'étalent sur son torse, entre le cou et les tétons. Et je me demande s'il l'est vraiment, sadique, ou s'il est juste un peu déréglé, car ça doit lui avoir fait un mal de chien.

La Fuck Factory est l'endroit de Kubrick, sa création, son numéro. Un laboratoire pansexuel de plaisir charnel où tout et n'importe quoi arrive. Il se passe ici des choses que, si difficile à croire que ce soit, vous ne trouverez pas sur Internet.

Si vous décidez d'appeler votre club la Fuck Factory, mieux vaut veiller à ce qu'il soit à la hauteur de son nom. Kubrick doit en être convaincu, car il m'accueille en me disant : « Je te promets, cocotte, que c'est le meilleur club de cul du monde. Le *sexclub* le plus grandiose jamais créé. »

Kubrick m'appelle cocotte. Il appelle Anna « celle-là ».

Les gros bras de Kubrick prennent Anna par la taille et l'attirent contre lui, si bien que ses seins s'écrasent sur sa poitrine. Ses biceps sont comme des jambons, et ses avant-bras comme ceux de Popeye. Sur un bras, je distingue un tatouage de marin d'un bleu fané ; sur l'autre, un signe ou un pictogramme étrange que je ne peux identifier malgré tous mes efforts.

Il pince affectueusement Anna et reprend :

« Celle-là, elle ne sait pas quand s'arrêter. »

Puis il éclate de rire et lui claque les fesses avec désinvolture. Et comme elle ne s'y attend pas, elle sursaute et glousse.

« C'est la première fois, pour Catherine, ajoute-t-elle en posant une main sur ma poitrine.

– Ah bon ? fait mine de s'étonner Kubrick. Puis, levant les yeux vers moi : Tu n'as aucune raison de t'inquiéter, cocotte. On est tous copains, ici. »

Je n'en suis pas si sûre, mais Kubrick a l'air sincère.

« Regarde simplement en toi, dit-il. Suis ce que désire ton cœur et ce que demande ton corps. Et tu le trouveras. (Voilà que Kubrick se la joue tout zen et me donne des conseils de vie comme un gourou New Age. Et comme il joint les mains devant lui tout en parlant, il commence même à avoir l'air d'un gourou.) Il n'y a pas de grand secret, continue-t-il. Tout ce que tu as besoin de savoir dans la vie pour avancer, c'est que tout le monde a besoin de baiser ou de se faire baiser. C'est tout. »

Ce n'est pas exactement du Deepak Chopra, mais je crois que c'est assez clair.

La philosophie de Kubrick, formulée simplement, est la suivante :

Tout le monde est bienvenu.

Pour baiser ou se faire baiser.

Baise qui tu veux, comme tu veux.

Et c'est à cela que se résume la loi.

« Une seule mise en garde, dit Kubrick en se penchant vers moi et en désignant le bar derrière lui. Ne t'approche pas du nain. »

Je regarde, par-dessus l'épaule de Kubrick, le nain qui est désormais juché à quatre pattes sur le dessus de la cage et qui gronde comme un chien. La fille est recroquevillée dans un coin sur un tas de paille.

« Pourquoi ? je demande. Il a l'air assez inoffensif.

– Il est vraiment chaud, répond Kubrick. Et il n'a peut-être pas grand-chose dans le slip, mais ça ne l'empêche pas d'essayer et d'essayer encore. Le problème avec les nains, c'est qu'ils sont tous supermachos et qu'ils ne font jamais rien à moitié. Alors généralement, soit ils se martyrisent parce qu'ils sont tout petits, soit ils veulent baiser le monde entier. Et celui-là, c'est un vrai sadique.

Je jette encore un coup d'œil, et je vois le nain qui se tient sur une seule main, comme s'il allait faire des pompes avec un bras, la bite dans l'autre main, pour pisser dans la cage à travers les barreaux. La pauvre fille détale à quatre pattes dans tous les sens pour éviter le jet, mais elle n'est pas très douée.

Je dois avoir l'air choqué, car Anna me dit :

« Ne t'inquiète pas, ça fait partie des choses qui l'excitent. Sinon, elle ne serait pas là où elle est.

– OK, les filles, conclut Kubrick en frappant dans ses mains comme un moniteur de camp de vacances. J'ai un club à diriger et des gens à baiser. Amusez-vous bien.

Il saute de son tabouret et nous le regardons filer dans un couloir comme le Lapin blanc d'Alice.

Anna se tourne vers moi :

« Jamais tu ne devineras ce que faisait Kubrick avant ça.

– Je n'en ai aucune idée, je réponds.

– Devine.

– Coach de vie ?

– Non.

– Prof de *fitness* ?

Elle secoue la tête.

– Bibliothécaire ?

– Non.

– Anesthésiste ?

Elle éclate de rire.

À quoi ça rime ? me demandé-je.

– J'abandonne. Quoi ?

– Comptable. (J'essaie d'imaginer Kubrick en costume trois-pièces en train d'éplucher des livres de comptes dans un bureau. Pas moyen.) Et pas n'importe quel comptable, dit-elle en se penchant vers moi et en baissant la voix. Comptable à la CIA. »

D'après ce que raconte Anna, à l'époque où Kubrick était comptable, il menait une vie tout ce qu'il y a de plus normale. Maison en banlieue résidentielle, marié. Une vie sexuelle ordinaire et saine. Pas d'enfants.

Mais Kubrick avait un secret. Il avait l'habitude de filer en douce dans le garage et de se branler sur des magazines de culturisme. Ce n'est pas qu'il faisait mine d'être hétéro alors qu'il était homo en réalité, ni qu'il était plus l'un que l'autre. Il s'était juste rendu compte que le sexe avec son épouse l'ennuyait, et il cherchait un nouveau truc qui l'excite.

Il se mit à réfléchir à d'autres choses qui pouvaient l'exciter. Il décida de laisser son imagination s'envoler en toute liberté et de voir où elle l'emmènerait. Il se mit à collectionner des catalogues. Pas des catalogues de sous-vêtements. Ce serait beaucoup trop évident, trop facile. Des catalogues de mobilier de jardin, de graines, céréales et semences, d'instruments de dentisterie, de bois, métaux et bétons. Il suivit ses caprices et collectionna tout ce qui titillait son imagination. Il regarda les photos et découvrit qu'il était très doué pour échafauder des fantasmes sexuels autour d'objets inanimés. Plus ils étaient ordinaires, mieux c'était, car Kubrick s'entraînait à sexualiser le monde qui l'entourait.

Il estima que ce serait un monde bien plus excitant à habiter, que cela lui permettrait d'échapper à l'ennui de son boulot administratif et de sa vie en banlieue. Ce serait même bien plus excitant que de se branler sur des magazines de culturisme dans le garage après le dîner.

C'est ainsi que Kubrick découvrit sa vocation. Fétichiste.

De fil en aiguille, Kubrick se retrouva avec toute une bibliothèque de supports de branle les plus bizarres qui soient. Une bibliothèque qui, aux yeux de n'importe qui d'autre, aurait évoqué le genre d'excentrique collection de livres que l'on peut trouver dans les marchés aux puces. Bientôt, il n'y eut plus de place dans le garage pour abriter la collection, mais elle signifiait tellement pour lui que, au lieu de la déplacer ou de la réduire, il décida de vendre sa voiture.

Un jour, Kubrick se retrouva à discuter de sa collection avec l'un de ses collègues, et ils s'aperçurent tous les deux qu'ils avaient quelque chose en commun. Ils se rendirent compte qu'ils vivaient l'un comme l'autre dans un mensonge. Ils décidèrent de lancer un club pour cultiver leurs centres d'intérêt.

Au début, ils se retrouvaient dans une pièce au fin fond d'un immeuble après les heures de bureau. Ils n'étaient qu'une poignée seulement et se contentaient de discuter chacun leur tour de leurs fantasmes en buvant des bières – comme une thérapie de groupe, mais pour des sadiques et des pervers. Tout était très calme et civilisé. Jusqu'à ce qu'un soir, alors que Kubrick racontait un fantasme sexuel particulièrement corsé, dans lequel il était question d'un tuyau, d'une buse d'arrosage et d'un tas de fumier, un type assis en face de lui, qui était nouveau dans le groupe, sortit son sexe et commença à se branler devant tout le monde. Au lieu de s'interrompre et de lui dire de remonter sa braguette, Kubrick continua, incrédule. À présent, un nouveau défi se présentait à lui. Il voulait voir s'il pourrait le faire jouir.

Tandis qu'il continuait, les autres gars dans la salle se mirent à baisser leur braguette et Kubrick eut l'occasion de tous les aider en les stimulant jusqu'à l'orgasme, uniquement grâce à son imagination. Et pour lui, ce fut plus excitant que jamais. Bien plus satisfaisant que de se branler sur des catalogues de produits ménagers, bijoux et outillage.

Lors de leur réunion suivante, quelques-uns des participants amenèrent leurs secrétaires et stagiaires. Pendant que Kubrick, assis au milieu du cercle, leur racontait des histoires, ils se mirent à faire beaucoup plus que simplement se branler les uns à côté des autres. La petite réunion de Kubrick se transforma rapidement en groupe de thérapie pour accros du sexe, où l'on vous encourageait à baiser davantage, et non le contraire. Des gens commencèrent à apporter des accessoires et à se costumer. Les mises en scènes devinrent de plus en plus sophistiquées et appliquées.

À mesure que le bruit se répandait, et que de plus en plus de fonctionnaires voulaient en faire partie, les choses commencèrent à déraper. Cela devenait de plus en plus difficile de garder le groupe secret. À la même époque, Kubrick décida qu'il en avait assez de trafiquer les comptes du gouvernement afin qu'il puisse poursuivre ses guerres sales dans des pays lointains, et prétendre que tout était la faute des comptables. Il décida de consacrer son énergie à sa véritable passion, et d'aider les gens à découvrir et à mettre en pratique leurs perversions.

Comme je n'arrive pas à croire ce que j'entends, j'interromps Anna :

« Tu es en train de me dire que c'est comme ça que la Fuck Factory a démarré ? Sous la forme d'un club de cul, après les horaires de bureau au Pentagone ?

– Je crois, dit Anna. Elle se tait pendant quelques secondes, comme si elle était plongée dans ses pensées. Puis elle reprend : Tu sais, il y a des gens très bizarres qui travaillent au gouvernement. (Elle me raconte que Kubrick y a encore de précieux contacts.) Tu n'en reviendrais pas du genre de gens qui viennent ici. »

J'attends qu'elle me le dise, mais elle se tait et je ne demande rien car je ne suis pas sûre de vouloir le savoir. Ce n'est pas simplement la juxtaposition de ces deux affirmations qui me trouble, mais l'intégralité de ce qu'elle vient de me révéler sur cette agence et ce qui se passe derrière les portes closes du gouvernement.

Je suis dans la Fuck Factory et j'ai l'impression d'être comme Al Pacino dans *La Chasse*. Je suis Al Pacino qui fait semblant d'être gai. Et qui envoie tous les signaux qui ne collent pas.

Bandana jaune dans la poche arrière gauche. Vous aimez pisser sur quelqu'un.

Bandana jaune dans la poche arrière droite. Vous aimez vous faire pisser dessus.

J'envoie tous les signaux qui ne collent pas sans même me rendre compte que j'en envoie, et je repère un gars qui me dévisage depuis l'autre côté du bar. Jeune, blond, torse nu, musclé, et d'une beauté obscène, avec une coupe au bol qui serait grotesque sur n'importe qui d'autre, mais qui, sur lui, avec le corps qu'il a, paraît tout simplement parfaite – comme ces mannequins hommes qui sont capables de prendre le *look* le plus invraisemblable avec une telle assurance qu'ils attirent votre attention. Il est adossé au bar, coudes sur le comptoir, les jambes à quarante-cinq degrés devant lui, afin de bien exposer l'énorme bosse sous son pantalon en cuir.

Il n'est vraiment pas mon genre, et je ne suis même pas branchée blonds, mais il possède une telle assurance et une telle maîtrise que je ne peux m'empêcher de le regarder. Et je me rends compte que c'est exactement ce qu'il veut.

Il me regarde froidement, comme un lion qui observe sa proie en attendant le moment de fondre dessus. Il me chasse sans même bouger d'un pouce. Il veut que je sache qu'il est là, que son allure a un effet sur moi et qu'il me domine.

Et comme je veux qu'il sache que je ne suis pas une fille facile, que je ne suis pas seule et que j'ai un soutien, je me retourne pour parler avec Anna. Elle n'est plus là. Je scrute la salle frénétiquement, mais je ne la vois nulle part. Je me retourne vers lui. Il continue de me fixer, et maintenant il sait que je suis sans défense et que je n'ai aucun endroit où me réfugier. Avant qu'il bouge, je décide de me mettre à l'abri dans les toilettes en espérant y trouver Anna par la même occasion.

Bon, d'ordinaire, ce serait une excellente tactique, parce que les toilettes des dames, c'est comme un couvent, un sanctuaire offrant protection au beau sexe, où sont faits les aveux, dévoilés les secrets – et où les hommes ne sont absolument pas autorisés à entrer.

Le seul problème, c'est que les toilettes sont mixtes. Et il s'agit moins de toilettes que d'un prétexte pour les jeux de pisse et la baise anonyme. Au centre trône une auge géante dans laquelle on peut se baigner, pisser ou les deux – et c'est précisément ce qui est en train de se passer. Des cabines s'alignent de part et d'autre, une vingtaine ou une trentaine, et toutes les portes sont percées – comme celle de l'armoire de Marcus. Des organes humains en sortent ou y sont collés. Il me faut une demi-seconde pour jeter un regard circulaire, tout voir et comprendre que ce n'est pas le genre de refuge que j'escomptais.

Je sors des toilettes dans le corridor faiblement éclairé qui ramène dans la salle principale du club, et il est là qui m'attend dans un renfoncement plongé dans une demi-obscurité.

Je ne le vois pas en passant; sa main jaillit et me saisit l'avant-bras.

Il m'attire vers lui. Je ne résiste pas. Je le laisse me prendre. Et il me fait pivoter pour que je me retrouve plaquée contre le mur.

Ses mains sur ma taille me maintiennent en place et le bas de son corps est collé au mien.

Il m'embrasse sur les lèvres, pendant que ses mains glissent sur moi, dans mon dos, et remontent sur mon épaule.

Il se penche pour plonger son visage dans mon cou et trouve je ne sais comment ce point magique, juste le long du cou, à mi-chemin entre la clavicule et l'oreille, une zone érogène qui m'ouvre comme un tiroir secret. Et c'est si agréable que juste avant que la dopamine jaillisse dans mon cerveau, je me surprends à penser: comment il a fait ça?

Il enfouit son nez derrière mon oreille pour aspirer mon odeur. Ses lèvres, douces et humides, se collent à mon cou, sa langue décrit des cercles, cherche, suit lentement la courbe de mon oreille, puis l'intérieur, laissant une légère pellicule de salive sur son sillage. Elle me titille sous le lobe, le taquine et le mordille juste assez pour que je sente le tranchant de ses dents.

Je laisse échapper un gémissement. Il est dans mon oreille, chuchote: «Tu aimes ça». Mais c'est plus une observation qu'une question, car il sait déjà ce qu'il fait, où il m'emmène, et comment abaisser mes défenses, l'une après l'autre.

Il plonge sa langue profondément à l'intérieur, par à-coups, il la sonde, la mouille. Et je gémis de nouveau, étourdie de plaisir et de désir, tremblant de tout mon corps dans l'attente de son prochain geste.

Au lieu de cela, il me fait attendre en m'entraînant plus loin dans l'alcôve. Un endroit sombre et intime, où nul ne peut nous voir. Il me soulève pour m'asseoir sur une mince saillie qui court le long du mur à hauteur du ventre.

Mes pieds touchent à peine le sol. Mes talons cherchent un appui et je dois me crisper et m'adosser au mur pour ne pas tomber en avant.

La paroi est humide de sueur. Comme si toute la chaleur et l'humidité avaient été prises au piège dans cette petite poche. Mais elle est froide et je m'y appuie et c'est très agréable car je suis dévorée par un feu intérieur.

À présent qu'il m'a installée dans une position vulnérable et que ma résistance diminue, je sens son ardeur qui croît. Il devient plus audacieux, moins courtois.

Son désir n'a plus de frein.

Sa bouche est de nouveau sur la mienne et ses baisers sont plus pressants. Il se sert de ses lèvres, de sa langue et de ses dents.

Ses mains courent sur moi. L'une remonte dans mes cheveux, l'autre passe sous mon chemisier et atteint mon soutien-gorge. Il malaxe et pétrit un sein à travers l'étoffe. Des doigts frôlent et pincent un téton.

Je sens le sang qui afflue. Le raidit et le durcit. Rendant le téton si sensible que je dois me retenir de crier quand le coton le frotte.

Mon souffle se fait haletant. J'entends ma ferveur dans mes gémissements. Et cela m'excite encore plus.

D'un coup de pied, il m'écarte les chevilles, ouvre mes jambes d'un genou et glisse sa cuisse dans mon entrejambe. La sienne appuie sur ma cuisse. Et je sens son érection contre moi. Je soulève la jambe et fais glisser mon pelvis en avant pour qu'il puisse s'insinuer plus profondément entre mes jambes.

Je suis au bord et la saillie s'enfonce dans mes fesses. Cela me fait un mal de chien, mais je m'en fiche, parce qu'il m'enfourche d'une cuisse qu'il presse violemment sur moi.

Je pose les mains à plat sur sa poitrine et me raidis pour pouvoir me frotter encore. Et c'est si bon, que je me dis que je vais perdre la tête et que je ne contrôle plus rien.

En fait, je crois que j'ai perdu connaissance à cause de la chaleur, du plaisir et de la douleur. Car soudain, je me vois. Je le vois sur moi. Et je suis en dehors de mon corps.

Le nœud de mon chemisier en jean est défait et il est entrouvert.

Mon soutien-gorge est dégrafé et pend sur mes épaules. Mes seins sont à l'air et luisants de sueur. Les tétons sont roses et gonflés.

Mon short pend sur une jambe, l'autre est enroulée autour de ses reins.

Il a la main dans ma culotte. Je mouille et je me tortille au contact de ses doigts.

C'est alors que je me sens comme tirée de mon sommeil, car tout est flou et indistinct, et la musique me paraît lointaine.

Mais je l'entends clairement dire :

« Pas si sage que ça, finalement. »

Quelque chose que je n'ai pas envie d'entendre sur moi. Et je crois qu'il se moque de moi.

Le rire qui suit est satisfait et méprisant, c'est une gifle en plein visage, et je reviens brutalement sur terre. Je suis de retour dans mon corps. Je suis nue, j'ai honte, je n'ai plus envie, pas ici, pas maintenant, pas comme ça.

Je lève la tête pour regarder derrière lui, par-dessus son épaule, et c'est alors que je me rends compte que nous ne sommes plus seuls.

Il y a huit ou neuf jeunes types en cuir ; je parle du genre qu'on voit dans les pornos gais des années soixante-dix. Des hommes d'une beauté peu commune, minces et athlétiques. Ils sont massés à l'entrée de l'alcôve. Ceux qui sont derrière se dévissent le cou et se haussent pour mieux voir.

Les trois qui sont devant s'appuient contre eux pour garder leur équilibre et les empêcher de s'approcher de nous. Ils sont tous torse nu, jeans déboutonnés, avec leurs couilles qui ballottent d'une manière obscène devant la braguette ouverte, sous d'épaisses toisons de poils noirs, et leurs grandes mains rudes et trempées de sueur branlent d'un air de défi leurs bites dures et inconvenantes.

Je suis carrément surprise et vraiment déboussolée, car je n'arrive pas à comprendre s'ils se branlent sur moi ou sur lui.

« Je ne peux pas faire ça », dis-je en le repoussant faiblement. Vraiment. Il faut que je parte. (Ma voix s'étrangle.) Il faut que je retrouve ma copine.

Et c'est comme lorsqu'un réalisateur crie « Coupez ! » et que la scène s'interrompt. J'ai gâché l'ambiance, ils commencent tous à se détacher pour chercher un autre tableau, un qui sera plus satisfaisant, et rapidement je m'habille, me rajuste et les plante là, sans un mot.

Je me hâte dans le couloir, tremblante, épuisée et excitée en même temps, essayant de comprendre ce qui vient de se passer. Je voulais à moitié aller jusqu'au bout, mais je n'ai pas pu lâcher prise et j'ai eu peur, comme quand on monte dans des montagnes russes et qu'on se rend brusquement compte de l'endroit où l'on se trouve, de la tension qu'on éprouve, et que l'excitation cède le pas à la peur.

Et à présent, comme le héros de toutes les scènes de club que vous avez vues dans tous les films, je cherche quelqu'un. Anna.

Je crois que je retourne dans la salle principale, vers le bar, alors que j'ai pris la direction totalement opposée. Et je me rends compte qu'Anna n'a pas menti, cet endroit est un véritable labyrinthe. Tous les couloirs se ressemblent. J'ai tourné deux ou trois fois et je suis complètement perdue. Je continue dans la même direction en me disant que je vais reconnaître un détail quelconque, puis je me rends compte que non. Et c'est au moment où je pense que je ne vais jamais retrouver la sortie qu'au détour du couloir, je vois Anna. Je ne risque pas de la manquer. Je suis entrée dans une vaste salle caverneuse grouillante de gens qui bougent et pensent comme un seul être mû par l'instinct, qui cruisent, reluquent et baisent.

Un film est projeté sur le mur entier du fond de la salle, qui doit faire une dizaine de mètres de hauteur sur une douzaine de largeur. C'est Anna. L'une de ses vidéos du site SODOME. Du moins, je me dis qu'il vient de là, car c'est la première fois que je le vois. Elle est *topless* et aveuglée par un t-shirt noir noué autour de sa tête. Mais on reconnaît parfaitement Anna. Je reconnais les cheveux blonds jusqu'aux épaules, je reconnais son corps.

Elle est assise sur un banc qui n'est guère plus que quelques planches de bois à peine dégrossies clouées sans souci de confort ou de stabilité. Ses bras sont tendus sur le dossier, dans une pose de crucifixion, attachés par une grosse corde qui est serrée autour de son corps et passe au-dessus et au-dessous des seins.

J'ignore ce qui s'est passé dans la vidéo avant cette partie, mais sa poitrine est rouge, comme si elle avait été fouettée. Sa tête penche en avant, bouche ouverte, et elle bave. Un long filet de salive pend au coin de sa bouche et entre ses seins, à l'endroit où les traces sont rouges et à vif, et où elles paraissent vraiment douloureuses. Sa poitrine se soulève comme si elle venait de courir un marathon.

Je regarde Anna sur l'écran et je vois Séverine, les yeux bandés et ligotée à son arbre, et je me rends compte qu'elles ne sont qu'une seule et même personne – deux blondes fatales enchaînées à leurs désirs.

Je me détourne et j'aperçois de nouveau Anna – la vraie Anna – accroupie, nue sur une plateforme devant sa vidéo. C'est une star de la scène et de l'écran. Et si je ne l'ai pas vue au premier abord, c'est parce qu'elle est entourée par une masse grouillante de types qui essaient tous de l'approcher comme des chasseurs d'autographes se pressant autour d'une starlette à la première de son film. Au lieu de lui tendre un papier et un stylo, ils agitent leurs bites sous son nez et elle les saisit, veillant à ce que tous obtiennent ce pour quoi ils sont venus et qu'aucun ne soit déçu.

Le corps d'Anna est luisant de sueur et de sperme. Son visage rayonne. Elle a de nouveau cette expression que j'ai vue sur la vidéo du gode-perceuse, la même expression d'extase.

Je demeure là, à regarder tout ça. C'est une chose de voir ce genre de truc en vidéo. C'en est une autre de l'avoir sous les yeux ; vous regardez tout ça arriver à votre meilleure copine, et c'est un peu comme si ça vous arrivait à vous.

C'est ce que je pense en voyant Anna cernée par cette bande fébrile et surexcitée, dépouillée de ses vêtements, de ses défenses et de ses limites. Je me reconnais. Anna paraît si à l'aise et détendue, absolument insouciante, parfaitement sûre d'elle-même, de son corps et de ses capacités. Au milieu du chaos, mais se maîtrisant parfaitement. Et y trouvant du plaisir. Je suis excitée rien qu'à la voir. Et prends finalement conscience que c'est là que je veux être aussi, qu'à partir de maintenant, rien ne sera plus jamais pareil. Je ne serai plus jamais la même. J'ai enfin sauté le pas.

CHAPITRE 13

Dans mes rêves, je suis courageuse. Dans mes rêves, je rejoue continuellement ce qui s'est passé. Et je ne m'enfuis pas. Je reste exactement où je suis, enracinée sur place, le cul coincé sur cette saillie, les jambes lui enserrant la taille, et je le laisse me prendre.

Je le laisse faire pendant que les autres attendent leur tour. Je les regarde cracher dans leurs mains et se branler en me regardant, tout en se rapprochant de plus en plus.

Et je me sens comme une bagnole de luxe, dans un garage, entourée de mécanos torse nu pleins de cambouis qui tripotent des clés à molette luisantes d'huile. Le grondement des moteurs me remplit les oreilles. Je suis étourdie et grisée par les fumées d'échappement. Je suis prête à être consumée par leur désir.

Et très vite, leur cerveau collectif décide qu'ils ne veulent plus attendre davantage. Ils s'avancent tous ensemble et fondent sur moi. Un mur d'hommes, rendus fous, impossibles à arrêter, exigeant tous mon attention. Me sollicitant du bout de leurs queues. Et tout à coup, je me retrouve avec plus de bites que je ne peux en gérer. Et je suis dépassée, mais tellement, tellement excitée.

C'est ce que j'ai fini par comprendre :
Dans mes rêves, je suis comme Anna.
Disponible.
J'aimerais être comme Anna.
Vorace.
Et à partir de cet instant, je décide d'être plus comme Anna.
Libre.

Deux jours plus tard, Jack passe à la maison prendre des vêtements de rechange. Il est parti depuis très peu de temps, pourtant j'ai déjà l'impression que tout a changé, et que c'est un inconnu qui arrive à l'appartement. Il n'est que froideur. Je ne sais pas comment briser la glace. Et je garde mes distances, parce que je ne veux pas le contrarier. Il ne reste qu'une demi-heure.

Nous parlons à peine. Ou plutôt, il me fait clairement comprendre qu'il ne veut pas me parler, sauf pour me dire qu'il part pour un autre voyage d'une semaine, à l'autre bout de l'État, afin de participer à la mise en place d'une étape de campagne importante pour Bob. Un trou perdu où la pauvreté est la norme, où le nombre d'électeurs inscrits est très faible, et où Bob a besoin de récupérer la moindre voix. Un endroit qu'il se doit de visiter pour montrer l'intérêt qu'il éprouve. Toute l'ironie de la situation, c'est que ce genre d'endroit, un politicien n'y va que lorsque c'est votre voix qui l'intéresse. Ensuite, vous ne le reverrez jamais jusqu'à l'élection suivante. Et pour moi, Bob ne fait pas exception.

Jack a beau admirer Bob, Bob a beau avoir réussi, il a beau représenter la « nouvelle » politique et se battre contre l'ancienne, il doit jouer le jeu comme tous les autres, exactement tel qu'il a toujours été joué. Les règles ont été établies il y a tellement, tellement longtemps, qu'elles sont pour ainsi dire gravées dans le marbre.

Si vous êtes ambitieux et déterminé, comme Bob, vous réussirez peut-être impunément à les contourner légèrement, voire beaucoup. Mais aucun politicien ne changera les règles, de peur que le château de cartes s'écroule. C'est chacun pour soi, un jeu où tout le monde peut perdre. La politique, c'est seulement une question d'avantage.

C'est là que Jack et moi divergeons.

En ce qui concerne la politique, il est idéaliste. Je suis réaliste.

Dans la vraie vie, il est pragmatique. Je suis fantaisiste.

On dit que les opposés s'attirent. Mais en ce moment, nos différences semblent être la raison même pour laquelle nous sommes totalement séparés.

Et j'ai compensé ma frustration en sortant avec Anna, ce qui n'arrange rien, car je sais que Jack n'approuve pas, même si cela aussi n'est jamais exprimé. Je sais qu'il n'aime pas que je sois devenue si vite intime avec Anna. D'autant plus qu'il a compris qu'il ne pourra jamais être inclus dans l'intimité que nous partageons.

Non pas qu'il n'aime pas Anna. Je sais qu'il l'apprécie. Je crois que Jack, comme un homme sur deux qui lui est présenté, désire secrètement la baiser. Et je ne lui en veux pas, car si j'étais Jack, j'aurais envie de la baiser aussi. S'il était honnête et me disait que c'est ce qu'il veut, je ne ferais pas un drame, je ne le retiendrais pas. Je l'encouragerais à le faire.

Et j'aurais envie de regarder.

J'aurais envie de voir comment Anna séduit un homme avec son corps. Mon homme.

J'aurais envie de voir comment Jack la baise. Je serais alors une tierce partie qui observe ma propre vie sexuelle.

Je sais déjà l'effet que cela fait d'être baisée par Jack. À présent, je veux juste le voir. Je veux la preuve visuelle de l'effet que cela fait.

Je les visualise ensemble, à présent. Seuls. Nus. Dans notre chambre, à moi et Jack. Et je sens la tension de Jack, parce qu'il n'a jamais été avec quelqu'un comme Anna. Une fille aussi sûre d'elle et de son corps, et du pouvoir qu'il recèle. Jamais il n'a été avec quelqu'un qui a autant d'assurance vis-à-vis de sa sexualité.

Et j'imagine que ce quelqu'un, c'est moi, mais ce n'est pas comme si j'étais complètement naïve, question sexe. Quand je regarde un pénis, je sais dans quel sens il se présente. Je sais comment le tenir, quoi faire avec et ce qui en sort à la fin. Je connais le corps de Jack sur le bout des doigts. Chaque millimètre, chaque creux et chaque pli. Je sais ce qu'il aime et précisément ce qu'il faut faire, et quand, pour lui faire de l'effet. Mais je crois aussi que j'ai encore beaucoup à apprendre et qu'Anna peut m'enseigner tout cela; il me suffit de regarder comment elle s'y prend.

Jack est allongé sur le lit, sur le dos. Il bande déjà, comme toujours, et tout son corps est rigide et tendu, pas simplement parce qu'il a hâte d'être avec Anna, mais parce qu'il est timide et gêné.

Anna rampe sur Jack, ainsi que j'imagine parfois Marcus ramper sur moi. Elle l'enfourche à hauteur des cuisses et se penche en avant, une main sur la poitrine de Jack pour se tenir, puis elle se lèche ostensiblement l'index et le majeur de l'autre main avant de se les fourrer entre les jambes pour se lubrifier, tout en fixant Jack droit dans les yeux.

Elle pose les deux mains sur sa poitrine, se soulève et s'avance, faisant glisser sa chatte le long de la hampe de sa bite, puis elle fait quelques va-et-vient jusqu'à ce que ses lèvres s'écartent et que sa bite se place entre les deux, luisante de son écume.

Elle glisse en avant jusqu'à ce qu'elle trouve l'endroit où le bord de son gland touche le capuchon de son clitoris, et elle accélère le mouvement pour pouvoir s'exciter en même temps que lui. Elle appuie sur la bite de Jack et ondule des hanches dans un mouvement circulaire en se frottant dessus. Il l'entend soupirer et pousser une série de petits gémissements. Il sent Anna qui mouille de plus en plus. Ses sécrétions ruissellent jusqu'à la base de sa bite, se répandent sur ses couilles, coulent entre ses cuisses.

Elle se penche, pose une main sur sa joue et dépose un baiser sur ses lèvres, glisse la main le long de son cou et frôle sa poitrine de la pointe de l'ongle. Ses caresses sont si délicates, si sincères dans leur attention, qu'elle dissipe rapidement son angoisse et le mettent à l'aise. Et la dynamique entre eux commence à changer. Je vois Jack redevenir lui-même. Son audace et sa détermination, deux des qualités qui m'excitent vraiment chez lui, se manifestent dans sa manière de la toucher, dans la façon dont il la manœuvre précisément dans la position qu'il recherche afin de pouvoir prendre le contrôle.

Je les regarde et c'est comme si j'étais un observateur omniscient car je peux les voir baiser sous tous les angles simultanément. Je suis à l'intérieur de l'action – présente dans leurs deux corps, j'éprouve tout ce qu'ils éprouvent, je passe de l'un à l'autre à volonté – tout en étant en même temps à l'extérieur.

À présent, Anna est penchée sur le lit et Jack, debout à côté, la prend par-derrière. Il la tient par les cheveux de la main gauche, comme un cavalier expert tient les rênes d'un cheval qu'il s'apprête à faire passer du trot au galop – bien serré, d'une seule main, la cravache prête dans l'autre.

Jack tire tellement sur les cheveux d'Anna qu'ils tendent le cuir chevelu, comme si elle les avait réunis en queue de cheval, et sa tête est bloquée en position redressée tandis que sa colonne vertébrale est cambrée pour former une courbe en forme de J d'une impossible perfection. Il lui balaie les fesses de grandes claques puissantes qui font le bruit d'une serviette mouillée dans un vestiaire d'hommes.

Je vois ses fesses rougir lorsque sa main se soulève et qu'il prend son élan pour lui donner le coup suivant. Je vois ses fesses trembler quand il s'enfonce en elle. Et ses couilles, trempées et gluantes du mélange de sa sueur et de son écume, claquent sur le clitoris d'Anna, qui est énorme et gonflé. Ses coups de butoir réguliers sont si violents et précis qu'elle miaule comme un animal en détresse.

Jack a sur le visage une expression que je n'ai jamais vue, de pure concentration et d'implacable détermination, comme s'il s'était mis en tête de chevaucher Anna jusqu'à l'enfoncer dans le sol. Comme s'il voulait la baiser jusqu'à ce qu'elle cède et s'écroule sous lui.

Et même à ce moment-là, il continuera à la labourer, sans répit ni merci, jusqu'à ce qu'elle finisse prostrée et totalement immobile. Et c'est seulement alors qu'il retirera sa bite dure, trempée, tremblante et triomphante, et qu'il commencera à se branler, en faisant coulisser sa main le long de la tige jusqu'à se donner des coups de poing dans les couilles.

Je n'ai jamais vu Jack comme ça. Je ne l'ai jamais vu si cochon, animal et prédateur. Il baise Anna comme il ne m'a jamais baisée, comme si elle avait déverrouillé quelque chose qui était profondément enfoui en lui – de la même manière qu'elle a contribué à déverrouiller quelque chose en moi.

Et à présent, j'ai vu tout ce que je voulais voir. J'en ai assez de me contenter de regarder. Maintenant, je veux participer.

Je me vois là-bas avec eux. Pas comme un trio qu'on verrait dans un porno, le fantasme masculin débile classique, où le super-étalon avec une bite magnifique et une langue à la Gene Simmons réussit à satisfaire on ne sait comment deux femmes à la fois, comme un Hercule de foire capable de soulever deux filles chacune assise sur un biceps. Ou son contraire tout aussi grotesque, où deux succubes se déchaînent sur un type, le submergent, l'étouffent, le forcent à se soumettre, à les baiser, et lui volent *in fine* son essence.

Non, c'est différent. La scène va au-delà du cliché. Elle est réelle.

Je me vois avec Jack et Anna et nous avons formé un cercle parfait.

Nous sommes allongés sur le flanc, la tête enfouie dans l'entrejambe de l'autre. Je suce la bite de Jack, pendant qu'il bouffe la chatte d'Anna et qu'elle bouffe la mienne. Nous goûtons tous les uns aux autres. Nous donnons et recevons tous. Nous sommes comme le serpent qui se mord la queue.

Quand Jack lèche le trou du cul d'Anna et commence à la doigter, je l'entends gémir tandis qu'elle se détache un instant de moi, puis l'imite instinctivement pour me faire la même chose. Je sens la langue d'Anna qui sonde lentement le tour de mon anus – qui le lèche, le teste, puis plonge dedans, tandis que ses doigts minces et souples s'activent sur ma chatte à la vitesse d'un piston sur un rythme totalement différent.

C'est comme ce truc que vous apprenez quand vous êtes enfant, quand vous vous frottez le ventre tout d'une main en vous tapotant la tête de l'autre et que vous essayez de tenir. Pour y parvenir, il faut oublier ce que vous faites, faire bouger indépendamment et instinctivement vos membres. Il en est de même pour le sexe. Le sexe réussi. Votre corps bouge dans un mouvement perpétuel, votre esprit se détend totalement, cède le contrôle et absorbe tout.

Ce qu'Anna me fait, c'est tellement agréable que je change de position pour l'imiter avec Jack. Je lui langue le trou de balle, quelque chose que je n'ai encore jamais fait, parce que les garçons, surtout les machos taciturnes comme Jack, ont un problème quand on les touche à cet endroit.

Mais je le langue à présent et il ne se plaint pas. Je l'entends gémir ; discrètement, comme s'il ne voulait pas qu'Anna et moi l'entendions, pourtant moi je l'entends. Et ma main commence à coulisser sur sa tige tout en tirant un peu sur le prépuce, et c'est alors qu'il ne peut plus se retenir et qu'il lâche tout en poussant un gémissement plus fort.

Nous sommes trois corps fondus en un seul. Libre de tout ego, personnalités dissoutes. Il n'y a aucune distinction entre Jack, Catherine et Anna. Il n'y a ni mâle ni femelle. Nous sommes un seul être, un seul sexe. Qui baise comme une machine. Synchrones. Respirant à l'unisson. Gémissant en harmonie. En chœur.

Quand nous jouissons, c'est tous ensemble que nous explosons.

Et mon vœu est plus qu'exaucé.

CHAPITRE 14

Je me rappelle, à présent. Je me souviens de tout. Je me rappelle le moment où j'ai pris conscience du sexe. Pas de l'acte, mais de l'émotion. Je m'en souviens comme si c'était arrivé hier. Et cet instant va paraître vraiment ridicule, et peut-être même un petit peu difficile à croire, mais je jure que c'est vrai.

Quand j'avais onze, douze ou treize ans – je ne me souviens plus exactement –, ma meilleure amie m'avait montré des feuilles cornées et jaunies qu'elle avait trouvées dans le tiroir du bureau de son père, et nous nous étions allongées par terre dans sa chambre pendant qu'elle me les lisait à voix haute.

C'était une histoire de cul. Une histoire vraiment dégoûtante, mais écrite sous la forme d'une lettre. De la pornographie sans les images. La pornographie d'avant les cassettes vidéo, DVD, téléphones intelligents et Internet. De la pornographie où les images cochonnes sont dans votre tête.

Nous en avons déduit que la lettre n'appartenait pas à l'origine à son père, mais à son grand-père, qui était parti faire la guerre au Viêtnam. Tout ce qui était revenu de lui était un casier métallique de vestiaire rempli de souvenirs moisis de la ville qu'il avait laissée derrière lui, et de la famille qui l'avait perdu. Une petite culotte en soie de sa femme qui portait encore de faibles traces du parfum qu'elle avait mis lors de leur premier rendez-vous, des photos de son fils tout bébé, vieilles et fanées, qui semblaient porter des traces de larmes, et une liasse de lettres usées retenues par un ruban bleu. Cette lettre, la lettre qui racontait l'histoire cochonne, en faisait partie. Mais nous ne pûmes savoir qui l'avait envoyée, car nous n'y trouvâmes pas de signature. Il n'y en avait pas plus que d'adresse d'expéditeur sur l'enveloppe qui la contenait.

Il y a quelques jours, j'ai trouvé l'histoire postée dans un forum sur Internet. C'était la même histoire d'un point de vue général, mais les détails clochaient. Dans les commentaires, certains disaient qu'ils estimaient que cette histoire avait commencé par des feuilles ronéotypées qui servaient de support de branle pour les soldats stationnés outre-mer. Et transmises au travers des époques et des guerres jusqu'à finir dans le tiroir du bureau du père de ma copine avant d'échouer dans ses mains innocentes.

Si j'avais su à l'époque ce que je sais aujourd'hui, je lui aurais dit de s'arrêter avant d'arriver à la fin. Je lui aurais dit de s'arrêter avant même de commencer. Remets les papiers là où tu les as trouvés. Ils ne sont pas à nous. Ce n'est pas pour nous. Nous n'avons pas besoin de savoir ce qu'il y a dedans. Pas maintenant, pas encore, jamais.

Les enfants ont de nombreux talents naturels et magnifiques qu'il faut envier et admirer. La seule chose dont ils sont dépourvus est la prévoyance.

Pour une raison inconnue, ils ne savent pas faire le lien entre courir dans la rue avec des lacets défaits et la méchante chute qui les attend dans un avenir immédiat. Et avec deux genoux couronnés qui seront cuisants comme jamais.

Que s'ils enfoncent leur doigt dans le trou de balle du chien, il va grogner, leur sauter dessus, les mordre et peut-être leur emporter un œil. Parce qu'un chien est comme un taulard obsédé dans les douches de la prison, avec le savon dans une main et un poignard caché dans l'autre. Il n'a rien à perdre et un doigt dans le cul, c'est comme un viol. Même si le doigt appartient à un petit de cinq ans qui s'amuse en toute innocence avec Fido.

Que s'ils font caca dans leur culotte, ce sera désagréable et ça sentira très mauvais. Sans oublier qu'il faudra courir dans les bras de maman et tout lui raconter dans un flot de sanglots. Car si l'enfant manque de prévoyance, il n'est pas sans ingéniosité. Donc, si le caca sort d'un côté, c'est sans doute le moment pour lâcher les eaux de l'autre. Ne serait-ce que pour inspirer assez de pitié pour rendre bien plus supportable l'humiliant processus de nettoyage qui suit.

Alors, si j'avais su ce que je sais maintenant, quand mes parents m'emmenèrent pour la première fois à la crèche de Noël du centre commercial voisin, toute petite avec ma jolie robe rose froufroutante brodée de sucres d'orge, qu'ils me firent traverser la portion de pelouse artificielle, devant les terrifiants elfes automates qui agitaient leurs bras avec raideur comme une grand-mère qui dodeline au réveillon en écoutant du Katy Perry, et qu'ils m'assirent sur le genou, rouge et gros comme une bûche, du père Noël, afin qu'il puisse se pencher jusqu'à ce que sa barbe blanche me touche les cuisses et qu'il me demande comme il se doit ce que je voulais du fond du cœur, je l'aurais regardé droit dans ses yeux chassieux et délavés par le gin, avec toute l'innocence enfantine et émerveillée que j'aurais pu trouver, et j'aurais dit : « Donne-moi le don de prévoyance ».

Cela m'aurait épargné tout un tas d'ennuis, de peines et de culottes tachées de merde par la suite. Cela m'aurait sauvée de moi-même.

À l'époque, vautrée sur la moquette à bouclettes de la chambre de ma copine, tandis qu'elle tenait d'une main ces feuillets jaunis qu'elle se préparait à nous lire, j'étais peut-être à l'orée de l'adolescence, mais j'étais encore une enfant. Qu'est-ce que je savais ?

Nous étions comme Adam et Ève prêts à mordre dans la pomme. La curiosité l'emporta, nous ne pûmes nous empêcher de lire et nous ne fîmes qu'une bouchée de tout ça en manquant de mouiller nos culottes tellement les passages cochons nous firent rire.

Mais le reste de l'histoire, les trucs sombres et tordus, nous semblèrent simplement bizarres et étrangers à nos jeunes esprits encore innocents et en développement. Comme nous ne comprenions pas, que nous ne connaissions rien qui puisse leur donner un sens, cela ne nous affecta pas. Ou du moins, je crus que non. Et je vais vous révéler quelque chose que je ne peux pas vraiment expliquer.

J'ignore comment, mais l'histoire telle que je l'entendis de la bouche de ma copine – tout entière, au moindre mot et détail près – demeura en moi, enfouie dans les tréfonds de mon subconscient comme un parasite, où elle s'installa.

Et pendant des années et des années, j'ignorai qu'elle était là.

J'avais oublié non seulement avoir jamais entendu l'histoire, mais aussi l'enchaînement d'événements qui avait mené à ce moment. Et ma copine, à présent, n'est plus qu'une voix sans visage ni nom, et de vagues bribes de souvenirs sont toutes les preuves qui me restent de son existence.

Sauf dans mes rêves.

Dans mes rêves, je me rappelle tout. Je me rappelle exactement comment elle raconta l'histoire, comment elle se déroulait et l'effet qu'elle me fit.

Dans mes rêves, je me repasse les scènes dans un sens puis dans l'autre, j'ajoute çà et là de nouveaux détails qui la rendent plus vivante et crédible, et j'en enlève d'autres. Je garde ceux qui me paraissent nécessaires comme trame pour empêcher l'histoire de s'effilocher.

Mais à la seconde où je me réveille, elle disparaît. J'en perds tout souvenir. Sauf de petites bribes ici et là, jamais suffisamment, cependant, pour pouvoir les rassembler et obtenir un tout qui ait un sens quand je suis réveillée. Puis, la nuit, tout déferle à nouveau et le rêve recommence.

Au cours des années, je crois que j'ai dû raffiner et remodeler lentement l'histoire pour en faire un magnifique et complexe patchwork de désir sexuel, un catalogue de mes rêves humides depuis la puberté jusqu'à la vie d'adulte.

À un moment, au cours des dernières semaines, quelque chose s'est passé, quelque chose qui a ramené le rêve à la lumière. Tout, jusqu'au dernier fragment, tout m'est revenu, envahissant ma conscience. Et à présent, l'histoire est pour moi aussi réelle que ma propre existence. Et ma vie, comme celle de Séverine, commence à ressembler à un rêve éveillé.

Et je ne vais pas mentir, cela me terrifie de voir ce qui était en gestation et grandissait en moi depuis tout ce temps. Mais cela explique beaucoup de choses, en tout cas, sur le chemin que je suis actuellement, les choses que j'ai vues et les endroits que j'ai fréquentés. Sur les raisons de mon attirance pour Anna.

Dans le rêve, je suis un peu plus âgée que je ne suis actuellement en réalité. Je vis seule dans une grande ville. Jack n'est pas là. Il ne fait pas partie du rêve et n'y a jamais figuré. Je n'ai pas de petit copain depuis des années et je déteste rentrer dans mon appartement vide après le travail. Alors je fais une promenade à la même heure chaque jour, juste au moment où le crépuscule commence à tomber. Le plus souvent, je reste dans mon quartier et je fais simplement le tour du pâté de maisons. D'autres fois, je prends un taxi pour le parc voisin et j'erre sans but le long des charmantes allées qui serpentent, bordées d'imposants ormes, chênes et cyprès, près d'un kiosque à musique perché sur une éminence qui a l'air d'un temple grec.

Durant cette promenade, je savoure la beauté de la ville et cela me fait sortir de moi-même, me permet d'échapper à mes pensées. Et par les soirées les plus claires, quand toute la ville paraît baignée par une irréelle clarté dorée et crépusculaire, je suis envahie par un incroyable sentiment de bien-être qui dure jusqu'à mon retour chez moi et rend les longues nuits bien plus faciles à supporter.

Mais dans mon for intérieur, je suis désespérément malheureuse et profondément insatisfaite. Une passion sauvage brûle au fond de moi, et je me languis du jour où je trouverai quelqu'un non seulement pour partager ma vie, mais aussi combler le douloureux besoin de satisfaire des désirs sexuels retenus qui sont de plus en plus effrénés et extrêmes à mesure que s'accumulent les années sans sexe ni amour.

Il y a cependant quelqu'un – le voisin de l'appartement d'en face – mais nous ne nous sommes jamais parlé. Quand il me croise dans le hall, j'essaie d'attirer son regard et il baisse les yeux. La nuit, pourtant, je sais qu'il m'observe. Je sens son regard sur mon corps. Je sens son désir et je sais qu'il a envie de moi. Et dès lors, quand je m'apprête à me coucher, je me promène toute nue lumières allumées en laissant les lames de mon store ouvertes pour qu'il me voie bien. Et quand je suis couchée, je me masturbe en pensant à lui dans son appartement, collé à sa vitre, en train de se tripoter en me regardant. Je vois la passion sur son visage. Mais ça ne va jamais plus loin.

Lui qui me regarde. Moi qui le regarde me regarder. Une boucle de désir charnel jamais pleinement consommé.

Un soir d'automne particulier, alors que je m'apprête à sortir faire ma promenade, ma meilleure amie m'appelle. Nous bavardons un moment, et quand je quitte l'immeuble, il fait presque nuit. Un taxi passe en trombe. Sans réfléchir, je tends le bras pour le héler. La voiture oblique brusquement et se gare dans un crissement de pneus un peu plus loin le long du trottoir. Je cours pour le rattraper, annonce dans un souffle ma destination au chauffeur en passant devant sa vitre, puis je me laisse tomber sur la banquette arrière.

Le taxi est envahi par une odeur chimique douceâtre, comme de la menthe, comme s'il venait d'être nettoyé, et le plafonnier est éteint. Je suis tellement perdue dans mes pensées que je ne me rends même pas compte que je suis assise dans le noir.

Je perçois un mouvement à côté de moi. Puis, une main gantée qui tient un chiffon apparaît devant mon visage. Je m'entends pousser un hurlement. Mais trop tard.

Je suis transportée dans les bras d'un grand costaud. Je sens l'air frais de la nuit qui me fouette le visage. Et quand je tourne la tête, j'aperçois une grande porte verte qui se dresse au-dessus de moi. Elle s'ouvre en grand. Je ne vois rien ni personne derrière. On me porte à l'intérieur et je suis de nouveau enveloppée par les ténèbres.

C'est alors que je perçois une vive lumière qui tombe sur moi depuis le plafond, chaude comme un soleil de fin d'après-midi. Je me demande si je me suis allongée un instant dans le parc avant de m'assoupir. Je me demande si tout cela n'a été qu'un horrible rêve. Mes sens me disent tout autre chose.

Mes mains sont coincées sous ma tête, comme si j'étais allongée dessus. J'ai la bouche sèche, les lèvres raidies et j'ai soif.

J'entends des froissements, d'abord juste à côté de moi, puis résonnant au loin. À mesure que ces détails qui ne me sont pas familiers s'accumulent, la perplexité cède le pas à la peur.

Je me force à ouvrir les yeux et je suis aveuglée par la lumière. Des ombres qui passent devant l'atténuent et me permettent de distinguer ce qui m'entoure.

Je me trouve dans un très vieux théâtre, face à une salle, sur une scène éclairée par un unique projecteur. Le public se compose d'hommes et de femmes déguisés pour un bal costumé. Ils posent sur moi leurs regards atones derrière des masques vénitiens, dans un brouhaha de murmures, comme s'ils attendaient le début d'un spectacle.

Je suis allongée sur une sorte de fauteuil de gynécologue. Mes pieds sont pris dans des étriers métalliques. Mes mains, je m'en rends compte à présent, sont solidement attachées sous le repose-tête, avec une corde qui entame et brûle mes poignets. Je suis bâillonnée par un chiffon rouge. Mon champ de vision est limité, car je ne peux tourner la tête que de quelques centimètres.

Je me sens totalement impuissante. Mais je ne panique pas. Mon esprit est vif et clair, saturé d'adrénaline et libéré de toute émotion. La résistance, estimé-je, est inutile. La résistance ne pourrait qu'empirer les choses.

Trois femmes, les silhouettes que j'ai aperçues, volètent autour de moi comme des oiseaux. Elles portent des cagoules ovales en mousseline noire, fendues à partir du bout du nez, avec des orifices pour les yeux de la taille d'une pièce de monnaie. Ainsi que des boléros assortis et un harnais en cuir qui passe sur la poitrine et sous les bras en laissant leurs seins à découvert.

L'une des femmes sort une paire de ciseaux, et d'un mouvement souple du cou jusqu'à l'ourlet, elle fend ma robe. Je sens l'acier froid comme un filet d'eau glacé couler sur mon cou et mon ventre. Le tissu tombe comme le rideau d'un prestidigitateur. Ma peau pâle est rosie par la chaleur. Ensuite, on coupe ma culotte aux hanches. Je me tortille, gênée d'être ainsi exposée.

La première femme s'écarte. Deux autres viennent la remplacer, comme si tout cela avait été chorégraphié rien que pour moi. La première farde avec du rouge mes tétons qu'elle frotte pour l'étaler, les laissant d'un écarlate foncé qui me rappelle les nuances automnales des chênes qui incendient le ciel bleu argenté durant mes promenades du soir dans le parc.

L'autre utilise une brosse métallique, du genre dont on se sert pour les chiens, afin de peigner les boucles serrées de mes poils pubiens. Sentant le métal qui racle la peau, le sang me monte à la tête et m'étourdit.

Les trois femmes se placent autour de moi, une de chaque côté et la troisième devant. Elles tiennent de grandes gerbes de plumes de paon devant leur visage et me dissimulent. Et, l'une après l'autre, chacune à leur tour, elles abaissent les plumes, m'éventent et balaient mon corps puis les relèvent. Puis l'autre prend sa suite. Évente, balaie, relève. Évente, balaie, relève.

Elles caressent mes bras, mes aisselles, mes seins et ma chatte. Je sens ma sensibilité qui croît, je suis consciente du moindre infime filament qui danse sur ma peau, anticipant l'endroit que touchera le suivant et la forme qu'il dessinera.

Je suis possédée par les plumes et tout ce que je vois, ce sont les yeux, des yeux électriques bleus, ocre et verts, qui me caressent, palpitent et me fouettent et me font entrer en transe. Qui se divisent et se multiplient en un millier qui me fixent. Des yeux affamés qui veulent me consommer. Et j'ai envie de cela plus que jamais.

Une cloche sonne. Les trois femmes s'éclipsent en un clin d'œil. Le silence envahit la salle. Et je suis de nouveau aveuglée par la lumière, je flotte vers elle, dans le silence, dans l'espace qui reste entre désirer et être.

Un homme apparaît soudain devant moi au pied du fauteuil, portant un masque d'arlequin qui couvre tout son visage, sa bouche et sa tête. Il semble fait en cuir bouilli et moulé, avec un nez, des joues et des orbites – comme si l'homme portait un visage par-dessus le sien. Son torse nu, ses épaules larges et ses bras puissants, magnifiquement dessinés, paraissent ciselés dans la pierre. L'idéal Renaissance de l'homme. Ce que je ne vois pas, en revanche, comme sur les statues du Vatican, c'est son sexe qui, j'imagine, pend exprès juste sous le mien, hors de mon champ de vision.

Il s'avance et aucun mot n'est échangé, aucun regard, politesse ou présentation. Pas de préliminaires. Il empoigne mes chevilles pour se maintenir, se penche en arrière, baisse les yeux, vise et donne un coup de reins.

Quand il me pénètre, un cri audible s'échappe de la foule, un cri fait de nombreuses voix, et bien que je ne puisse en voir la raison, je la sens. Je sens que je m'ouvre pour l'accueillir. Je le sens qui ouvre une partie de moi qui n'a jamais été encore atteinte. Comme si, d'un seul et unique coup de reins déterminé, il avait brisé un rempart et libéré mon désir. Je me surprends à penser à la proue d'un navire qui se fraie un chemin dans les glaces. Et je sais que ce n'est que le début, et je me demande déjà jusqu'où je peux aller, combien je vais pouvoir supporter, mais je le veux tout entier.

Je suis distraite de ses coups de butoir par l'apparition d'un autre homme à ses côtés. Puis d'un autre, et d'un autre encore. Six, sept, huit, neuf, qui forment une muraille autour de moi. Tous masqués, nus et en érection. Et d'autres s'alignent derrière eux.

Il n'y a pas de cloche, cette fois. Des mains parcourent mon corps, palpent mes seins, mes jambes, tirent sur mes lèvres, font éclabousser la sueur qui s'accumule sur mon ventre. L'intensité de leur désir me surprend.

Je me demande qui sont ces hommes et d'où ils viennent. Je les regarde et j'imagine, derrière les masques, les hommes sur qui j'ai fantasmé seule dans mon lit. Les hommes qui me font d'aimables sourires quand je les croise dans le hall de l'immeuble, qui me déshabillent des yeux dans la rue ou me regardent à la dérobée dans le métro bondé.

Ces mêmes hommes m'apparaissent quand je me caresse au cœur de la nuit lorsque mes fantasmes éclosent, quand je me touche au plus profond de mon corps comme s'ils me faisaient l'amour, que je caresse mes seins comme si une main étrangère me touchait. Ces mains qui sont sur moi en cet instant sont celles de tous les amants que je n'ai jamais eus et toujours désirés. Les mains de l'homme qui habite en face, dont je n'ai jamais senti le contact.

Ce que j'ignore, alors même que cela se passe, c'est qu'il est là aussi, assis dans la salle avec le public, et qu'il me regarde. Qu'il a été amené ici par un ami qui, comprenant qu'il est insatisfait, lui a offert le spectacle de ce soir. Un spectacle tout à fait particulier dans le club le plus exclusif qui soit, ouvert uniquement aux membres les plus fortunés.

Il porte un masque, comme tous les autres, pour dissimuler son identité. Le choc qu'il a tout d'abord éprouvé en me voyant, l'objet de son désir, là sur la scène, est bientôt balayé par l'émotion qu'il éprouve de pouvoir poser le regard sur mon corps, de si près et dans un tel luxe de détails, et par l'excitation qui submerge le public.

Il veut intervenir et se montrer à moi, mais il craint ce qui pourrait arriver, craint que cela n'ait de terribles conséquences pour nous deux, que nous soyons agressés et séparés. Et à la fin, il balaie toutes ces pensées, se laisse aller à ses désirs et se joint à la frénésie de la foule.

Si seulement j'avais su qu'il y avait quelqu'un que je connaissais là-bas, qu'il était dans la salle, les choses auraient peut-être été différentes. Je ne me serais peut-être pas soumise à mon destin.

On ôte le bâillon de ma bouche, on desserre la corde qui emprisonne mes mains. Je suis libérée. Mais je ne crie pas à l'aide ni ne me débats. La liberté signifie quelque chose de tout à fait différent pour moi, à présent.

J'ai faim. Je suis aussi affamée que les yeux des plumes et les mains qui me touchent et s'emparent de moi. Alors, instinctivement, je cherche à tâtons quelque chose qui comble mon désir, qui remplisse ma bouche et occupe mes mains. Mon corps est rouge et à vif à force d'être claqué, pincé et palpé. Le même rouge flamboyant que les feuilles des chênes. Et ça m'est égal, car je me sens ne faire qu'une avec ma nature, à présent, je sens que mon corps était fait pour cela.

Pour la première fois, je parviens à me redresser sur le fauteuil et à regarder au-delà des hommes qui se tripotent à côté de moi en attendant leur tour, jusque dans la salle. Je vois des corps partout, rang après rang, par deux ou trois, reliés par le bas-ventre ou la bouche. Des silhouettes imbriquées et mouvantes. Comme les glyphes d'un alphabet du désir. Un langage universel qui n'a besoin d'aucune explication. Et je me rends compte que tout arrive à cause de moi, et cette pensée est plus excitante que tout. C'est mon désir qui m'a amenée ici, qui a créé cela, et je comprends soudain ce que cela signifie que d'être rendu folle de désir.

C'est là que s'arrêtait l'histoire sur la dernière page. Là que mon rêve s'interrompait nuit après nuit, année après année.

J'avais beau croire que je pouvais la modeler et la modifier, je n'arrivais pas à la conclure. Et je me suis creusé la cervelle pour voir si j'avais omis ou oublié quelque chose depuis la première fois que j'avais entendu le récit. Et tout ce que j'ai pu trouver, c'est ceci.

Nous étions assises par terre et nous essayions d'imaginer toutes les fins possibles. Des fins de conte de fées où l'admirateur secret de la fille se précipite sur la scène pour la sauver comme un chevalier blanc, puis l'emporte par la grande porte verte jusqu'à son appartement, où ils vivent heureux et ont beaucoup d'enfants. Car, pour les enfants, tous les contes finissent bien, et c'est ce que c'était pour nous, un conte de fées, comme *La Belle au bois dormant* ou *Hansel et Gretel*, ni plus ni moins sombre, effrayant ou irréel.

Je ne crois plus aux contes de fées. Je ne suis pas si bête.

Les fins heureuses, c'est du pipi de chat.

Et le rêve?

Je le vis, à présent.

Je le sais.

La fin reste non écrite.

CHAPITRE 15

Tout le monde a connu une situation de ce genre.

Vous êtes à une fête.

Vous êtes debout – ou assise – dans votre coin, absorbée dans vos pensées, contemplant la foule. Ou bien en compagnie d'un ami, vous racontez des âneries que vous et lui ou elle êtes les seuls à connaître ou à s'y intéresser, et vous riez de vos petites blagues entre vous. Et, surgissant de nulle part, un type vous aborde.

Vous ne savez pas qui c'est, votre amie non plus. Vous ne vous rappelez même pas l'avoir jamais vu. Mais il se peut que vous l'ayez entraperçu en arrivant et que vous n'ayez pas fait attention. Vous avez peut-être même souri dans sa direction. Pas vraiment intentionnellement. Et il s'est mépris, il a pris cela pour un encouragement.

À présent, il est là, devant vous. Il dit bonjour et se présente, parce que pour lui, une fête, c'est un endroit où l'on est censé rencontrer des gens. Et il a décidé qu'il voulait faire votre connaissance. Mais ça ne veut pas nécessairement dire qu'il en est de même de votre côté. En fait, trente secondes en sa compagnie sont plus que suffisantes pour que vous estimiez que vous n'en avez pas envie. Vous n'avez échangé que vos prénoms, mais vous savez déjà tout sur ce type. Et vous essayez de trouver le moyen de filer.

Nous sommes à cette fête.

Dickie est le type en question.

Dickie travaille dans le ciment. Prémélangé. Il est dans le bâtiment et passe ses journées à agréger. Il est le PDG d'une des plus grosses entreprises de matériaux de construction du monde. Le ciment est sa vie et le sujet le passionne vraiment. Il essaie de me convaincre que les premières utilisations répertoriées du ciment sont aussi importantes dans l'histoire de l'homme que la découverte du feu. Que son métier est aussi important pour le développement culturel de l'humanité que l'archéologie, la médecine et la philosophie réunies.

Mais il n'a rien de mère Teresa. Dickie a des bureaux dans toutes les zones de conflit aux quatre coins du monde. Il fabrique assez de ciment pour reconstruire les pays plus vite qu'ils ne peuvent être démolis.

« La guerre est un gros *business* », me dit-il.

Anna parle à l'ami de Dickie, Freddie, un gestionnaire de fonds de placement à risque. Elle ne fait que glousser et a l'air de bien s'amuser. Dickie est peut-être riche à tuer, mais ses talents en matière de conversation sont aussi arides que le milieu où il exerce. Dickie m'ennuie tellement que j'en bouffe-rais ma culotte.

Si j'en portais une, évidemment. Si j'en portais une, je me serais étouffée avec.

Mais je n'en ai pas.

Voilà ce que je porte : un bandeau à motifs floraux en dentelle noire qui couvre mes yeux, des bas montants aux genoux, des talons aiguilles rouges et, drapée sur moi comme une couverture, une cape tombant jusqu'au sol d'une couleur rubis assortie à mon rouge à lèvres. Cette fois, je ne porte pas de sous-vêtements.

Anna porte un masque en dentelle de métal en forme de papillon et une cape vert émeraude dont elle a enveloppé ses courbes comme une fourrure. Ensemble, nous avons l'air des deux positions extrêmes d'un feu tricolore.

Masques et capes font partie du *dress code* de cette petite soirée. Pas de cuir et de jean. Masqués et anonymes. Car c'est une soirée sexe à thème. Une soirée *Eyes Wide Shut*.

Nous sommes à des années-lumière de la Fuck Factory. Cet endroit est différent. Il est exclusif, réservé à l'élite.

Je me demande ce qu'en penserait Kubrick. Stanley, pas Larry. Il a échafaudé méticuleusement une fable sur la rencontre du sexe, de la fortune, du pouvoir et des privilèges, son dernier chef-d'œuvre, le plus long plan de l'histoire du cinéma, un film comme tous ceux qu'il a tournés où chaque détail, nuance de construction et mise en scène, a une raison précise. Un film dans lequel il a investi tant de travail et de passion qu'il l'a tué et qu'il n'a jamais pu voir comment il serait accueilli.

Ce qui vaut probablement mieux. Car la seule chose que Stanley Kubrick n'avait probablement pas prévue, c'est que les gens mêmes sur lesquels il avait tourné ce film suivraient l'histoire au pied de la lettre. Les quelques riches les plus en vue auxquels leur pouvoir et leurs privilèges donnent toute liberté de vivre selon leur propre code moral, social et sexuel, un code qui ne s'applique tout simplement pas au reste d'entre nous ; qui pensent que la décadence est quelque chose qui s'achète à coups de carte de crédit ou se choisit dans un *showroom* ; qui y voient tout au plus une publicité sophistiquée pour un club d'échangistes haut de gamme, guère plus qu'un simple prétexte pour un endroit comme celui-ci.

Nous sommes dans le salon d'une grande demeure privée décorée avec goût, remplie de meubles anciens et de reproductions d'œuvres d'art. Quelque part dans la campagne. Exactement où, je ne sais pas, Anna non plus, car nous avons été amenées par un service de voiturage organisé par Bundy, et nous nous sommes assoupies en route, bercées par le ronronnement du moteur, la traînée de feux arrière clignotant devant nous et le doux balancement de la voiture dans les virages de la route serpentant dans la campagne. Et j'ai à peine eu le temps de m'en rendre compte qu'Anna me touchait l'épaule et me secouait doucement en disant: «Catherine, Catherine, réveille-toi. On est arrivées».

Maintenant que nous sommes à l'intérieur, je me rends compte que j'ignore complètement où nous sommes, et qu'il n'y a aucun moyen de le savoir, car il fait nuit et tous les volets sont clos. C'est comme si nous étions sur un tournage de film. Toute la réalité est concentrée et contenue dans cette maison.

Il y a d'immenses tables sur lesquelles s'empilent tellement de plats hors de prix qu'on dirait un banquet romain. Des magnums de Veuve Clicquot dans des seaux à glace. Des compotiers à couvercle d'argent débordants de caviar Beluga. D'immenses plateaux de fruits de mer – huîtres, moules et crevettes – plantés dans de la glace comme des parterres de fleurs. Des terrines de foie gras. Et les gens sont si blasés tellement ils sont riches que personne n'a l'air d'y goûter. Des maîtres d'hôtel stoïques, en frac et loups noirs, passent entre les invités en proposant du champagne.

C'est comme si quelqu'un avait ouvert pour moi une porte qui a toujours été fermée, une porte donnant sur un endroit dont j'ignorais l'existence et qu'il m'avait invitée à l'accompagner à l'intérieur. Et pourquoi n'aurais-je pas envie de jeter un coup d'œil, de faire l'expérience de cela? Comment est la vie dans la zone interdite?

Pour l'instant, cela n'a pas l'air d'une orgie. C'est plutôt gentillet et courtois. On dirait un cocktail bourgeois. Et je lance à Anna un regard qui signifie : « Tu rigoles ? C'est pour ça qu'on a fait tout ce chemin ? C'est tout ce dont Bundy est capable ? » Et en même temps, je suis un peu impressionnée parce que ces gens jouent dans une tout autre catégorie. À des kilomètres de la sienne. Des centaines de kilomètres.

C'est pour ça que nous sommes ici, Anna et moi, et pas Bundy et son tatouage grotesque – parce qu'il se verrait comme une verrue sur le bout du nez –, pourtant c'est lui qui a fourni les filles. Anna se meut entre ces univers avec grâce et aisance. Sa sexualité est un laissez-passer qui lui permet d'entrer partout, et je suis sa cavalière.

Je dirais que Dickie a la soixantaine minimum, peut-être davantage, mais il est à un âge où les chiffres cessent de compter et où ils sont encore plus difficiles à deviner. Dickie a une touffe de cheveux gris-blanc et un corps comme un sac à patates, bosselé, déformé et arrondi vers le bas. Il porte un masque de Zorro et une cape courte en satin blanc avec un ourlet rouge, comme le camail des prêtres. En dehors de ça, Dickie est – comment dire – défroqué. Il a moins l'air d'un membre du clergé que d'un superhéros à la retraite avec des tendances nudistes, Capitaine Ciment.

Dickie est assis, les jambes croisées, pour me parler et m'exposer les subtilités du ciment. Sa bite et ses couilles pendent tristement sur sa cuisse, l'air de s'ennuyer autant que moi.

Freddie est beaucoup plus jeune, assez jeune pour être le fils de Dickie, et il a l'air de porter la soutane qui va avec le camail de Dickie ; comme s'ils avaient fait moitié-moitié chez le loueur de costumes et tiré à pile ou face qui porterait quoi.

À mesure que Dickie parle, je suis envahie par une ineffable tristesse, mais je m'efforce de la dissimuler. J'essaie d'avoir l'air intéressée et d'alimenter la conversation. Je n'ai cependant encore jamais appelé personne Dickie de ma vie et je ne compte pas m'y mettre. Alors, je l'appelle Richard.

Je dis :

« Richard…

– Dickie, me coupe-t-il pour la troisième ou quatrième fois. Appelle-moi Dickie. »

Et pour la troisième ou quatrième fois, je fais celle qui n'a pas entendu.

« OK, Richard, dis-je. Redites-le-moi, quels sont les avantages d'utiliser du béton prémélangé à faible facteur de rétractation ? »

J'ai enregistré assez de jargon pour pouvoir faire semblant et lui renvoyer quelque chose qui lui fasse croire que j'écoute.

« La pompabilité, cocotte, répond-il. Et il répète pour faire son petit effet : La pom-pa-bi-li-té.

– Et le faible facteur de rétractation.

– Moins de déformation, acquiesce Dickie. Moins d'ondulations. Il faut que ce soit dur et bien droit. Que ça reste dur et bien droit. »

Il coupe l'air du tranchant de la main et laisse échapper un rire rauque.

« Je crois que j'ai compris », dis-je.

Maintenant que j'ai fait montre d'un tantinet d'intérêt et qu'on dirait presque que je sais de quoi je parle, Dickie prend cela comme un feu vert pour se lancer à fond. Je décroche.

Sur le mur derrière Dickie est accrochée une série de reproductions encadrées de gravures primitives d'hommes et de femmes baisant dans diverses positions. Je les reconnais immédiatement comme les dessins d'un livre que Brigitte Bardot feuillette dans *Le Mépris* de Godard, le livre que le producteur américain vulgaire a prêté à son mari scénariste, pour qu'il donne un côté sexuel au script d'art et d'essai du réalisateur allemand Fritz Lang qui est entièrement inspiré d'un mythe grec et n'a aucun potentiel pour faire un succès. Il a donné au mari scénariste de Bardot un livre traitant d'art pornographique romain antique sur lequel se branler, dans l'espoir que cela déteindrait sur son écriture, qu'il en donnerait à ce producteur pour son argent et qu'il ferait venir les foules dans les salles. Et les images, qui sont dans ce livre et sur ces murs, ont été créées dans un but spécifique, comme une sorte de manuel d'éducation sexuelle et de stimulant érotique pour les clients d'un bordel de Pompéi, endroit où elles ont été découvertes. Je me dis qu'elles sont ici dans le même but.

Dickie parle et les seuls mots que j'entends sont « décharge », « mouiller » et « pomper ». Je ne sais pas s'il parle toujours de ciment ou s'il me sort juste des cochoncetés, mais je me dis que si le ciment prémélangé fait bander Dickie, c'est probablement un homme facile à satisfaire.

« Mouiller, je répète.

– Ouais, poupée, répond-il. Pour dissoudre les impuretés. Avec de l'eau.

– Ah, je dis.

Et je perds de nouveau le fil. Je regarde autour de moi dans la salle tous les autres hommes et femmes nus, de tous âges, formes et tailles, et je me demande dans quel domaine ils exercent.

Plastiques. Biotechnologies. Armes. Pétrole. Pharmaceutique. Logistique. Biens de consommation futurs.

Tous ces bureaucrates sans visage ni nom qui dirigent des multinationales dont vous n'avez jamais entendu parler, mais dont l'influence et les décisions s'étendent, invisibles, au moindre recoin de votre vie quotidienne – depuis les cachets que vous prenez avant le petit-déjeuner jusqu'à l'essence que vous mettez dans votre réservoir de voiture et les oreillers à mémoire de forme où vous posez la tête le soir –, ces gens ont une vie sexuelle aussi. Il faut bien qu'ils baisent. Et j'imagine que c'est ici qu'ils le font. Pile ici. Dans une soirée haut de gamme comme celle-ci, conçue pour protéger leur dignité, sinon leur pudeur. Derrière des masques pour pouvoir être anonymes dans leur vie privée comme ils le sont dans leur vie publique.

J'ai une brusque envie de pisser et je me rends compte que c'est le prétexte idéal pour que nous plaquions Dickie et Freddie.

« Si vous voulez bien nous excuser, messieurs, dis-je, nous devons aller aux toilettes. »

Nous courons aussi vite que nous le permettent nos talons aiguilles vers les toilettes de l'étage.

Nous sommes côte à côte devant le miroir en train de retoucher notre maquillage, et je demande à Anna :

« Qu'est-ce que c'est que cet endroit ?

– Les gens l'appellent la Juliette Society, dit-elle.

– Qu'est-ce que c'est que ça ?

– Je n'en sais pas beaucoup plus. C'est juste le nom qu'ils lui donnent. Disons que la Fuck Factory est pour les gens ordinaires. Les gens d'ici ne sont pas ordinaires.

– Je vois bien, dis-je. Comment Bundy a pu y accéder ?

– Oh, tu sais, glousse-t-elle. Bundy est plein de surprises. Ses voies sont impénétrables.

– Qu'est-ce que tu veux dire ? demandé-je, intriguée.

– Eh bien, il a peut-être l'air fauché, mais il vient d'une famille friquée. Il a un faible pour les filles riches qui sont comme lui et qui feraient n'importe quoi pour lui. Le genre de filles qui vont toucher un fonds à six chiffres à leur majorité, mais qui travaillent comme *stripteaseuses*. Il a même un site Web pour elles.

– Laisse-moi deviner, dis-je. Salopes Pleines de Cash ?

– Comment tu as deviné ? demande-t-elle, sincèrement surprise.

– Une intuition, c'est tout. »

Je me remets du rouge pendant qu'Anna se repoudre les joues. Elle vérifie dans le miroir que tout est uniforme, et dit :

« Tu sais, les vieux savent vraiment comment donner du plaisir à une femme. »

Au moment où je croyais avoir tout entendu d'Anna, elle me lâche une nouvelle perle de sagesse, un autre diamant qui me fait tourner la tête. Elle ne cesse de me stupéfier. Et elle dit ça d'une voix tout à fait ordinaire.

« Comment ça ?

– Parce qu'ils sont aussi excités que des gars de dix-huit ans, mais que leur corps ne peut pas suivre. (J'éclate de rire.) Je suis sérieuse. Ils s'acharnent jusqu'à ce qu'ils n'en puissent plus, et là, ils doivent s'arrêter pour reprendre des forces. Et ils recommencent. Comme ça, ils peuvent tenir toute la nuit.

– Mais les jeunes sont comme ça aussi, non ? Où est la différence ?

En disant cela, j'ai l'impression d'être retournée dans la salle avec Dickie.

– Les jeunes ont quelque chose à prouver, explique-t-elle en sortant son rouge à lèvres. Et en général, ceux qui sont vraiment beaux sont tellement imbus d'eux-mêmes qu'ils n'ont aucune imagination au lit.

– Oui, je vois exactement ce que tu veux dire, réponds-je en me rappelant mon ex, footballeur.

– Ils veulent généralement baiser devant un miroir pour pouvoir se regarder sous toutes les coutures, continue-t-elle.

Comme s'ils tournaient leur propre porno. Ils baisent avec eux-mêmes et tu fais juste partie du décor de plateau. Mais les vieux se préoccupent plus de ton bien-être. Et ils veulent toujours essayer un truc nouveau, parce qu'ils ont déjà tout fait et qu'ils connaissent toutes les astuces. Et puis, ajoute-t-elle en remettant son masque, une bite qui bande ne montre pas son âge. Peu importe l'âge qu'elle a, du moment qu'elle fonctionne parfaitement. Et ces types, tu as à peine besoin de les toucher. Ils gobent un Viagra et ils bandent dans la seconde. »

Elle claque des doigts.

Je ne sais pas combien de temps nous restons dans les toilettes, mais quand nous en sortons, ce n'est plus la même fête. Du tout. L'énergie de l'endroit a changé. Comme si, pendant notre absence, quelqu'un avait sonné une cloche, comme celle qui signale l'ouverture du marché à la bourse, et qu'une seconde plus tard, la corbeille devenait une frénétique orgie de branlettes.

Personne ne bavarde plus. Tout le monde baise. À deux, trois ou quatre, ou parfois en solo, en s'excitant rien qu'en regardant.

Nous sommes en haut de l'escalier, je contemple tout ça, je dois dire que c'est carrément stupéfiant et je me rends compte que cette fois, il n'y a nulle part où se cacher, nulle part par où s'échapper. Il faut s'y faire et serrer les dents. Il me faut une minute pour me ressaisir, respirer un bon coup et plonger.

« Descends, dis-je à Anna. Je te rejoins dans une seconde. Je veux juste rester un peu à regarder d'ici.

– OK », répond-elle avant de dévaler l'escalier en bondissant comme un agneau qui gambade dans un pré, impatiente de se jeter dans la mêlée.

Je m'appuie à la balustrade, baisse la tête vers les gens qui baisent dans la grande salle, et je repère un type qui me fixe depuis l'autre côté. Vraiment, je ne sais pas ce qui se passe en ce moment entre moi et les gars bizarres. Je dois exhaler une odeur spécifique.

Quelque chose m'attire vers le masque qu'il porte, tellement plus compliqué que les autres que j'ai vus ici. Puis la lumière se fait. C'est l'homme de mon rêve, l'homme Renaissance en masque d'arlequin qui me délivre.

Je comprends tout cela dans la fraction de seconde entre l'instant où je le repère et celui où il se dirige vers moi. Mon cœur se met à battre. Je suis paralysée par l'impatience, et il fonce sur moi comme un drone Predator. Le temps ralentit. J'ai l'impression de le voir arriver au ralenti. Je le dévore du regard, jusque dans les moindres détails.

Il a une posture insolente, pleine d'assurance, certain de son pouvoir de séduction. Sa peau est tannée comme du cuir, mais son physique est musclé, athlétique et tonique. Il a l'air de prendre soin de lui-même, de faire du sport. Ce physique m'indique que cet homme connaît son pouvoir et qu'il sait comment l'utiliser. Et il a de l'allure pour son âge, quel qu'il soit, mais je pense qu'il doit avoir au moins la quarantaine.

À présent, il est si près que je le sens. Il sent le *cash*. Quand il arrive devant moi, je suis accro. Il y a quelque chose de particulier chez lui, mais je n'arrive pas à mettre le doigt dessus. Puis je comprends: quelque chose en lui me rappelle Jack.

Pas le Jack d'aujourd'hui. Le Jack de plus tard. Jack quelque part dans l'avenir.

Je me suis toujours dit que je voulais vieillir avec Jack. Parfois, j'aimais imaginer comment nous serions quand nous aurions cinquante ou soixante ans, quand nous aurions vécu la moitié de notre vie l'un avec l'autre. Je me demandais de quoi nous aurions l'air après toutes ces années passées, quelle serait notre relation, comment nous baiserions.

Et ce type, je viens de le décider sur-le-champ, représente mon fantasme de Jack quand nous aurons vieilli, de quoi il aura l'air, comment il se comportera.

Je sais ce que vous pensez. Que c'est une excuse, et d'une certaine manière, c'est le cas. C'est une excuse que mon cerveau a échafaudée pour expliquer ce que mon corps éprouve. Parce que je ressens une immense attirance pour cet homme, dont j'ignore l'identité et que je ne connaîtrai jamais. Un homme qui est pour moi une toile vierge sur laquelle je peux projeter le fantasme qui me chante. Et le vivre. Pour de vrai.

Il me propose sa main. Je la prends sans hésitation ni réserve. Quand il m'entraîne en bas dans la salle, j'ai l'impression que nous sommes deux jeunes amants grisés sortant sur les planches pour une promenade un dimanche après-midi.

Quand nous arrivons en bas, nous apercevons Dickie et Freddie qui s'occupent déjà d'Anna à eux deux, et je ne peux pas dire que cela me surprend. Elle est à quatre pattes sur un vieux divan en cuir usé. Freddie est derrière. Dickie a fourré sa bite dans la bouche d'Anna et posé une jambe sur le canapé. Il a les mains sur ses reins, juste au-dessus des hanches, comme font parfois les gars dans les pornos quand ils se font pomper. Comme s'il avait un lumbago.

Les types que vous voyez debout baiser comme ça, dans les pornos, ils ont presque toujours gardé leurs chaussettes. Et – comme c'est étonnant – Dickie a gardé ses chaussettes. Mais ce sont des chaussettes qui coûtent cher. Des chaussettes à motifs en losange. Ralph Lauren.

Freddie n'est manifestement pas aussi chichiteux. Il est cul nu. Je dois lui reconnaître ça, Anna se donne à fond. Elle fait vraiment passer un bon moment aux deux bonshommes. Dickie a un sourire grand comme ça, comme n'importe qui en aurait si une jolie petite pleine d'entrain comme Anna se laissait bifler tout en lui disant des cochonneries.

« Tu es un vieux cochon, dit-elle à Dickie. Un vieux cochon vraiment cochon. Dickie, Dickie, Dickie. Dickie avec sa grosse bibite de vieux cochon. »

J'ignore si elle parle à Dickie ou à son sexe, mais je dirais qu'ils apprécient tout autant l'un que l'autre.

Puis elle se retourne vers Freddie et elle lui dit :

« Oh, oui, tonton, ramone-moi bien avec ta tige. Vas-y, tonton Freddie, tu sais que j'aime ça. Oh, merde, ouais. »

Mon homme masqué me conduit jusqu'à l'autre bout de la salle, comme s'il me faisait parader devant tout le monde et qu'il m'exhibait. Il me fait signe de m'asseoir dans un énorme fauteuil ancien tapissé de daim rouge. Je m'assois, jambes serrées, les mains sur les genoux, pudique et réservée comme une écolière chez les sœurs. Il me regarde, sourit et tapote l'accoudoir du fauteuil. Il n'a besoin de rien dire, je sais déjà ce qu'il veut, ce qu'il attend.

Je cale mes jambes par-dessus les accoudoirs et glisse les fesses jusqu'au bord du siège. Il s'agenouille devant moi, prend mon pied gauche dans ses mains et commence à pétrir la plante avec les pouces, appuyant ici, puis là, comme un chat teste le confort d'un fauteuil avant de s'y installer. Quand il arrive en haut, il me frôle la base des orteils, puis il fait glisser son doigt tout du long, les écarte et caresse entre chaque.

Je ferme les yeux pour pouvoir oublier ce qui m'entoure et me concentrer sur chaque caresse et, avant que j'aie le temps de m'en rendre compte, il m'embrasse la plante des pieds, suce chaque orteil, en fait le tour avec la langue. Et c'est céleste.

Je le sens qui fait courir ses doigts le long de l'intérieur de mes cuisses, suit le contour de mon entrejambe et frôle ma chatte, puis en écarte les lèvres du pouce et de l'index. Ma chatte est déjà trempée et gluante. Je le sens la laper avec de longs coups de langue insistants et réguliers, comme un chat qui fait sa toilette. Son masque appuie durement sur mon clitoris tandis que sa bouche fait le tour de mon entrejambe, lèche, titille et suce. Je sens sa langue qui sonde le tour de mon trou. Il s'y enfonce et c'est tellement bon que je laisse échapper un gémissement et fais glisser mes hanches en avant pour pouvoir m'empaler sur sa langue. Mais à peine le fais-je qu'il se retire, pour me tourmenter.

Il pose les mains sur mes jambes, les réunit et les soulève, si bien que mes pieds sont au-dessus de ma tête et que ma chatte est en évidence, trempée et gonflée. Je prends mes jambes entre mes bras pour les maintenir en place pendant qu'il pose une main sur ma cuisse et donne à ma chatte une petite claque de l'autre. Je laisse échapper un petit glapissement et je ne sais si c'est en réponse à la brûlure ou au bruit, mais cela lui donne envie de recommencer. Il gifle de nouveau ma chatte et je sens mon clitoris enfler alors que sa main se retire.

Puis sa bouche est de nouveau sur moi, mais cette fois, elle s'attache à mon clitoris qu'il aspire entre ses lèvres, suce et agace, frôlant le capuchon de sa langue, puis il reprend de plus belle. Chaque fois qu'il répète son manège – suce, aspire, mordille et lèche – il insiste un peu plus, si bien que je ne sais pas ce qui m'attend. Et c'est tellement bon que je laisse échapper une série de halètements et de gémissements.

Pendant ce temps, ses doigts trouvent mon trou, qui est tellement trempé que je sens déjà une traînée d'écume ruisseler jusqu'à mon trou du cul. Il ne perd pas un instant, il y enfonce les doigts, sonde la motte charnue derrière mon clitoris. Il le suce tout en continuant ses va-et-vient dans ma chatte et je me sens proche de jouir. Je ne pourrais pas m'en empêcher même si je le voulais. Je sens mes terminaisons nerveuses qui me chatouillent, envoient des décharges électriques dans tout mon corps. Cela me submerge. Je m'arc-boute contre sa bouche et je sens ses dents, sa langue et ses lèvres qui se pressent contre mon clitoris.

Puis je le sens glisser un pouce gluant de salive dans mon cul, se disant qu'il a réussi à me faire tellement perdre la tête que je ne vais pas m'en rendre compte, et cela me ramène brusquement à la réalité. Je le regarde droit dans les yeux et lui dis non. Si je pouvais voir son visage, j'y lirais probablement de la déception, mais il accepte et je m'en fiche s'il pense que je suis une prude. Ce n'est pas la question. Je ne suis pas vierge du cul. C'est juste que je veux garder quelque chose pour moi. Je veux garder quelque chose pour Jack. Et ici, ce n'est pas la Fuck Factory. Ce n'est pas une foire au cul où c'est chacun pour soi. Ici, c'est moi qui décide, je suis dans ma zone de confort et je peux aller jusqu'où j'ai envie.

Nous échangeons nos places. Il s'assied dans le fauteuil et je me perche sur les accoudoirs pour me laisser descendre lentement sur sa bite. Et je mouille tellement que je glisse jusqu'au bout, jusqu'à la garde, et maintenant c'est moi qui le fais gémir. Je me soulève à nouveau. Des traînées d'écume épaisse et blanche coulent le long de sa bite et se prennent dans ses poils pubiens. Je crache dans ma main et lui astique la tige, la gainant de salive et d'écume, et je continue de le branler jusqu'à ce que j'entende le gémissement sourd et insistant qui m'indique que je suis sur la bonne voie.

Je me laisse redescendre à nouveau sur sa bite, me penche en avant pour que mes mains reposent sur les accoudoirs et que mon cul soit légèrement incliné, entraînant sa bite. J'alterne, je pivote lentement des hanches et je coulisse d'avant en arrière pour entendre à nouveau son gémissement sourd et fantomatique. Je glisse sur sa bite et ses mains se referment sur mes seins, son pouce et son index pincent mes tétons et les maintiennent fermement.

Maintenant que je suis déchaînée et trempée, il a un autre tour dans son sac: il veut me partager avec d'autres. Et je ne sais pas comment ils le savent, ou s'il leur a fait un signe quelconque, mais soudain, je m'aperçois que je suis cernée. Et je n'ai pas peur.

Une paroi de chair masculine m'isole du reste de la salle comme dans un cocon. Et je me sens en sécurité.

Quand certains s'en vont, d'autres prennent immédiatement leur place. Et j'ai envie de ça. Plus ils sont, mieux c'est.

Je ne sais plus combien de visages masqués et de bites anonymes approchent, tête baissée, quémandant mon attention. Je m'empare de tout ce qui est à ma portée avec tout ce que j'ai et une fois que j'ai goûté, je me rends compte que j'ai toujours faim et que j'en veux encore. Plus j'en ai, plus je suis affamée et cela ne cessera que lorsque je le voudrai. Et je ne le veux pas.

Le sexe est de mieux en mieux. Les orgasmes de plus en plus intenses et, juste au moment où je crois avoir atteint le sommet, un autre arrive pour m'entraîner encore plus haut et je ne veux pas que cela s'arrête car le plaisir est si fort.

C'est comme si mon corps était secoué par des décharges électriques. Pas simplement chaque fois que je jouis. Chaque fois que l'on me touche. Comme si je recevais des coups de Taser inlassablement répétés. J'éprouve un plaisir si intense qu'il confine à la douleur. La dopamine inonde mon cerveau, l'adrénaline court dans mes veines et je n'ai plus la notion du temps.

J'ai l'impression que je baise sans arrêter pendant vingt-quatre heures. Et je me dis que si je veux, je pourrais probablement continuer pendant vingt-quatre de plus. Mon corps continuerait tant que mon cerveau serait stimulé. Et tout est là : l'esprit ne se lasse jamais vraiment de l'activité physique, il finit juste par être distrait et par s'ennuyer. C'est là que la lassitude s'installe. Mais si vous parvenez à rester concentré, impossible de savoir jusqu'où vous pouvez aller.

Je vais plus loin que je ne m'en serais jamais crue capable et si je pouvais me voir ici, dans cette salle, environnée par tous ces hommes, je ne sais pas si je me reconnaîtrais. C'est probablement Anna que je reconnaîtrais.

Quand je rentre chez moi, j'ai mal partout, mes muscles sont courbaturés comme si j'avais fait de l'escalade et j'avais dû utiliser toutes les parties de mon corps pour atteindre le sommet. Je me sens débordante de vie, mais épuisée, et tout ce que je veux, c'est prendre un long bain chaud.

Pendant que l'eau coule, je me regarde dans le miroir de la chambre. Et je suis heureuse que Jack ne soit pas là et qu'il ne puisse voir les endroits de mon corps encore rouges d'avoir été claqués, palpés et pincés. En même temps, je suis toujours dans un bel état d'excitation. Si Jack était là, j'aurais déjà pris sa bite en bouche. Je lui aurais sauté sur le manche et je lui aurais demandé de me dérouiller encore un peu plus à coups de bite.

J'allume une bougie parfumée au jasmin, dispose quelques bougies chauffe-plats autour de la baignoire, verse quelques gouttes d'essence de lavande, et me laisse couler dans l'eau, petit à petit, jusqu'à ce que je sois entièrement immergée, que je sente la chaleur détendre mes muscles, la vapeur s'insinuer dans tous les pores de mon visage et de mon corps, et que la sueur commence à couler.

Je dors mieux que jamais. Comme un bébé. Quand je me réveille, mon corps est toujours endolori, mais mon esprit est clair et concentré. Je m'apprête à sortir faire quelques courses et je laisse un mot à Jack, car il revient aujourd'hui et je veux que tout soit parfait, dans l'espoir qu'il réfléchira et que nous pourrons trouver une solution. Je lui écris combien je l'aime. Et je suis sincère. Je n'ai jamais été aussi sincère. Jamais je ne l'ai désiré autant.

Juste avant de franchir la porte, je vérifie que mes clés sont dans mon sac à main. Au lieu de cela, je trouve un rouleau de billets. Des billets de cent dollars. Et pas moyen de savoir comment ou quand ils ont atterri là. Je les sors et les fixe. Sous le choc. Je suis paralysée en comprenant brusquement, comme si je venais de tomber sur le cul et que j'essayais de prendre conscience de ce qui s'était passé.

J'aurais dû écouter Anna. « Bundy est plein de surprises », a-t-elle dit, et j'ai cru que c'était juste un autre commentaire idiot. À présent, je comprends. Il a fait de moi la chose même que je n'ai jamais voulu devenir. Je me suis retrouvée aspirée dans le fantasme tordu de Bundy, le fantasme du Pygmalion inversé, dans lequel chaque femme est une perfection attendant d'être transformée en pute. Bundy m'a remodelée en Séverine. Belle de Jour. Le plat du jour. L'une des salopes de Bundy.

Je me sens sale et manipulée. J'ai un vide dans le ventre et la nausée me submerge. Je suis tellement écœurée que j'ai envie de vomir. La nausée laisse place à la colère. Et tout ce que j'entends, c'est une voix qui tempête sous mon crâne.

Comment as-tu pu être aussi idiote ?

Je me crie cela mentalement parce que Bundy m'a changée du tout au tout, et que je n'ai rien vu venir. Je pensais que je maîtrisais la situation et que j'étais plus futée que ça.

Je me trompais.

CHAPITRE 16

Voici ce que je me demande à présent.

Que vaut une expérience ? Et qu'est-ce qu'elle coûte ?

Ce n'est pas du tout la même chose. L'une tient à la signification, l'autre au sacrifice.

Nous sommes tellement habitués à payer un prix – pour nos courses de la semaine, notre santé, nos erreurs, nos infidélités, et d'autres crimes, infractions et délits – que nous ne remettons jamais en question le montant, ni qui décide qu'il en est ainsi et pourquoi. Toute notre civilisation est apparemment obsédée par ce qui a été perdu – qu'il s'agisse d'innocence, d'intimité, de privilège, de sécurité ou de respect –, rarement par ce qui a été gagné.

Personne ne peut me dire ce que vaut mon expérience. Personne sauf moi. C'est quelque chose que moi seule peux connaître, comprendre et éprouver. Quelque chose que moi seule peux peser, mesurer et quantifier. Quelque chose que je peux décider de transmettre à autrui ou de garder pour moi. Et c'est mon choix, et mon choix à moi seule. C'est ma liberté de décider. Ma responsabilité à tenir.

Ne chipotons pas, ici. Nous parlons de sexe. De baise. Et tout le monde le fait. Que ce soit en public ou en privé. Plus ou moins. Classique ou tordu. En solo, en couple ou en groupe. Avec le sexe opposé ou le sien propre. Et, en pratique, généralement en mélangeant plusieurs ou la totalité des options ci-dessus. Notre sexualité est au moins aussi complexe que notre personnalité. Peut-être davantage, car elle concerne notre corps, pas simplement notre esprit.

Ce n'est pas une question de science, mais d'existence. Et c'est pour cela que je ne fais pas particulièrement confiance aux conclusions de gens comme le docteur Kinsey et le docteur Freud, surtout en ce qui concerne les femmes. Car comment quantifiez et catégorisez-vous le désir ? Comment pouvez-vous formuler des jugements de valeur sur ce qui est bon ou mauvais pour les gens, les individus, d'après ce qu'ils éprouvent ? D'après leur manière de baiser ?

Nous sommes tous des pervers. En secret. Au fond de nous. Au lit. Derrière des portes closes. Quand personne ne regarde. Mais quand quelqu'un regarde ou est au courant, c'est là qu'il y a un prix à payer. Un prix qui nous est imposé, comme une livre de chair. Et ce prix, il peut avoir des tas de noms, alors que ce n'est en réalité qu'une seule chose.

La honte.

Songez à cette fille en dernière année du secondaire qui est cataloguée comme salope ou pute simplement parce qu'elle fait ce qu'elle veut de son corps et de son cœur. Alors que la moitié de ses camarades portent des bagues de virginité comme un prophylactique qui maîtrisera leurs désirs – comme si ça allait marcher – et croient, Dieu sait pourquoi, qu'elles valent mieux. Qu'elle est inférieure, plus faible, plus vile. Parce qu'elle a déjà décidé qu'elle aimait le sexe. Et surtout sucer des bites. Sous les gradins. Entre les cours de biologie et de chimie. Pas seulement avec le quart-arrière de l'équipe de foot, mais aussi avec le premier en science et avec le prof d'histoire. Parfois juste l'un après l'autre, parfois tous les trois en même temps.

Avez-vous jamais songé à ce qu'elle en retire? À ce qu'elle estime que cela vaut?

Cette fille, elle n'est pas comme moi. Elle est plus comme Anna.

C'est pourquoi je refuse de condamner Anna pour les trucs qu'elle fait.

Anna est tout pour tout le monde. Elle peut passer d'un univers à l'autre. Maîtresse, star de porno, groupie, escorte. Elle ne voit pas ça en termes de profil de poste, juste de catégories de désir. Comme elle ne se sent pas exploitée, peu lui importe ce que pensent les gens. Et comme cela lui plaît, elle n'a aucun problème à accepter de l'argent. Pour elle, c'est du commerce équitable.

Même si, moi, j'ai parfois l'impression qu'elle vit sur le fil du rasoir. Comme si le sexe était devenu un besoin; et le besoin est là pour combler le vide, un vide qui ne peut jamais être comblé. C'est une fille intelligente, donc elle finira par comprendre qu'elle est au bord d'un précipice. L'avenir que je lui vois me fait peur. Mais je ne vais pas la condamner pour cela. Ni essayer non plus de la sauver. Pour elle, en ce moment, ça en vaut entièrement la peine. Elle se dit qu'elle est comblée. Au final, il se peut que ce soit suffisant, pour elle, et qui suis-je pour lui dire le contraire?

Et moi?

C'est la question.

Et moi?

Qu'est-ce que je retire de tout cela? Quel est le prix à payer?

Et comment aurais-je pu savoir? Avant, pas après. Parce que le sexe n'est pas un rayon de supermarché où vous pouvez parcourir les différentes options et connaître le prix avant de faire votre choix.

Admettons que j'étais pleinement consciente de tout ce que je faisais et de pourquoi je le faisais. C'est beaucoup plus intéressant ainsi, n'est-ce pas ? Parce qu'il n'y a pas d'excuse. Personne sur qui rejeter la faute.

Je ne parle pas seulement des choses que j'ai faites, mais des choses que j'ai fantasmées et dont j'ai rêvé. Les endroits où mon subconscient m'a emmenée. Parce que tout vient du même endroit, au fond. Et tout finira par en sortir. C'est ce que je me répète. Tout finira par sortir.

Je ne sais pas qui je leurre, de moi ou de Jack. Mon instinct me dit qu'il est déjà au courant, qu'il soupçonne déjà que quelque chose a changé en moi. Ce n'est pas simplement difficile de dissimuler un secret à la personne qui vous aime, la personne qui vous connaît le mieux : c'est impossible. Mais parfois, les choses qui sont d'une aveuglante évidence, sur les gens qui nous entourent, ceux qui nous sont chers, pour nous-mêmes, ce sont celles que nous choisissons d'ignorer.

L'instinct est notre sens le plus puissant. Ce n'est pas la vue, l'odorat, le toucher, le goût ou l'ouïe – mais l'instinct. C'est-à-dire tous ces sens combinés et davantage et, si nous apprenons à lui faire confiance, il n'y a aucune voie qui soit mauvaise sur laquelle nous aventurer, aucune action que nous pouvons entreprendre qui puisse nous nuire, aucune relation qui se brisera.

J'ai su quand j'ai connu Jack que c'était le bon. Pas simplement l'homme du moment, mais l'homme de ma vie. Je me rappelle que je n'avais pu attendre de confier à ma sœur aînée d'une voix haletante que j'avais rencontré ce type incroyable. Je pensais qu'elle serait heureuse pour moi. Elle s'est juste renfrognée.

Elle a dit que j'étais trop jeune, que je me faisais des illusions, que Jack paraissait trop parfait et qu'il viendrait bientôt un moment où je me rendrais compte que c'était un con comme tous les autres. Et je n'avais pas prêté attention à elle, car je faisais confiance à mon instinct. J'étais sûre de moi.

En grandissant, je voyais mes copines passer d'un gars à l'autre et toujours trouver une bonne raison de les laisser, de se sentir insatisfaites, frustrées ou manipulées. Je les observais et je pensais que je n'avais pas envie d'être comme elles. Ces filles sont toutes célibataires à présent, et j'ai l'impression qu'elles le resteront éternellement, parce qu'elles sont toujours en quête de l'Homme Idéal. Elles ont dans la tête une image de ce qu'il est, de ce à quoi il ressemble, de ce qu'il fait et de la manière dont il se comporte. Et c'est un fantasme, un fantasme total. La même connerie qu'on vend aux femmes depuis… une éternité.

Le Prince Charmant. L'homme parfait. La poupée Ken. Le spécimen parfait. Le Bachelor. Le mari parfait. Ces gars, ceux qui sont incroyablement beaux, charmants, ceux qui vous font marcher sur un nuage, qui sont trop beaux pour être vrais, eh bien, ils sont généralement trop beaux pour être vrais. Il existe un autre terme pour qualifier le charmeur, un mot qui le décrit avec plus de justesse.

Sociopathe.

C'est stupéfiant le nombre de femmes qui succombent à des types comme ça, qui se laissent prendre à la même ruse, de manière répétitive, et qui ensuite regrettent amèrement le jour où elles les ont rencontrés.

Le jeu de l'amour, c'est l'une des plus anciennes escroqueries en vigueur. Voici ce que c'est, en réalité : un jeu de bonneteau.

Regardez les verres changer de place et devinez sous lequel se trouve l'homme parfait. Jouez à ce jeu et vous allez perdre. Toujours. C'est couru d'avance.

Personne ne veut croire qu'il s'est fait avoir, surtout en matière d'amour. Parce que ça fait un mal de chien. Probablement plus que n'importe quoi au monde. Ça vous frappe en plein cœur. Ça vous donne la nausée. Vous vous sentez idiot. Vraiment, vraiment idiot. Et donc, la meilleure chose à faire pour quiconque est dans cette situation, c'est ceci :

Prétendre qu'on l'avait percé à jour.

Qu'on savait tout depuis le début.

Que rien n'est arrivé.

Et recommencer à zéro.

Et cette fois, en se disant qu'on ne s'y fera plus reprendre. Plus jamais je ne me ferai avoir comme ça.

Et pourtant si.

Cela se reproduira parce que les gens ne savent pas ce qu'ils veulent dans la vie, et qu'en attendant, ils sont voués à reproduire le même schéma encore et encore, voués à répéter leurs échecs. Parce qu'ils courent après un fantasme hors d'atteinte. Celui de l'homme parfait. Du mari parfait. De l'amant parfait.

La vie n'est pas comme ça.

Vraiment pas.

Les gens ne sont pas comme ça.

Et ça ne s'applique pas qu'aux femmes. Les hommes sont aussi la proie de leurs propres illusions. Les sensibles, du moins. Ceux qui sont assez évolués pour voir dans les femmes quelque chose de plus qu'un réceptacle commode pour leur sperme. Parfois, ils sont trop évolués. Ils réfléchissent trop. Ils mettent les femmes sur un piédestal, idéalisent la compagne parfaite au point que cela devient un modèle que personne ne peut imiter. En tout cas, moi, je sais que je ne peux pas. Et pour moi, cela semble être la recette d'une vie entière de déception et de relations ratées. Une vie entière à chercher l'Homme Idéal ou la Femme Idéale en finissant toujours avec celui qu'il ne faut pas. Surtout pas.

C'est le jeu de l'amour. Un jeu de bonneteau où tout le monde perd.

C'est cynique, direz-vous.

Moi je réponds : c'est réaliste.

Je ne prétends pas que je ne crois pas à l'amour, car j'y crois. Et si on me pousse, j'admettrai probablement que c'est la seule chose en laquelle je crois. Pas Dieu, pas l'argent, pas les gens. Juste l'amour. Et je ne suggère à personne de revoir ses critères à la baisse ou de se contenter du deuxième choix. Loin de là.

Je vais vous dire autre chose. Ma relation avec Jack, elle n'est pas comme ça. Elle ne repose pas sur ce que nous ne sommes pas, mais sur ce que nous sommes. Et nous sommes imparfaits, en tant qu'êtres humains, amants, compagnons. J'adore les imperfections, je rends hommage aux échecs, j'idolâtre les défauts. Je suis à l'aise avec ce que je suis, verrues comprises. Je suis à l'aise avec ce qu'il est. Je parle pour moi, ici, pas pour Jack.

Il fait partie de ces êtres sensibles qui réfléchissent trop et parfois, je désespère de ne jamais être à la hauteur de ses espoirs et des rêves qu'il nourrit pour moi. Et je fais des choses qui sont vraiment idiotes et autodestructrices, comme si je voulais qu'il trouve une raison de me détester.

Je fais des choses comme celles d'hier soir. Et je peux prétendre tant que je veux que c'est autre chose. Même que c'est honorable, d'une certaine façon, parce que j'étais en conformité avec moi-même et avec mes fantasmes. Mais le fond de l'affaire est que j'ai trompé mon petit copain. L'homme que j'aime, celui que je veux épouser et avec qui je veux passer le reste de ma vie. Je ne l'ai pas trompé avec ma tête. Je l'ai trompé avec mon corps. Et ç'a été agréable.

Mais merde, on ne vit qu'une fois. Je peux gérer les conséquences de mes actes. Je compenserai les pertes. Pourtant, il y a une chose que je n'ai pas l'intention de perdre.

Jack.

CHAPITRE 17

Jack est rentré et je ferais n'importe quoi pour qu'il me reprenne, pour qu'il se sente désiré et aimé, et qu'il comprenne que nous sommes faits pour être ensemble.

Je lui fais la cuisine et pendant que nous mangeons, je scrute son visage, cherchant la preuve que la glace a été brisée, car la conversation entre nous est gauche et guindée. Et je me rends compte que le simple fait qu'il soit là et qu'il mange quelque chose que j'ai préparé est un bon signe.

Nous marchons encore sur des œufs l'un avec l'autre après cette période de séparation. Une semaine qui m'a semblé un mois. Mais je suis si heureuse qu'il soit là.

Après dîner, Jack allume la télévision et regarde la fin d'une publicité de campagne pour Bob DeVille. Il est assis sur le canapé comme s'il regardait les trente dernières secondes d'un match de football où le score est serré : assis au bord du siège, les coudes sur les genoux, les mains jointes devant l'entrejambe. Tout son corps est tendu. J'ai les jambes pelotonnées sous moi comme un chat et le bras posé sur le dossier du canapé, à l'endroit exact où serait le corps de Jack s'il s'adossait.

Notre intimité ne va pas plus loin. Et je ferais n'importe quoi pour que ça change. J'ignore si nous sommes de nouveau ensemble ou pas. Jack envoie des messages contradictoires et c'est déroutant.

Nous regardons un plan de Bob dans une usine écoutant avec attention un jeune homme en tenue de travail avec un visage que sa courte vie a manifestement marqué plus qu'elle n'aurait dû. On dirait le père de Bob, alors qu'il est probablement assez jeune pour être son fils.

Bob a l'air grave et hoche sagement la tête. Et au cas où on n'aurait pas compris le message, il donne aussi cette impression dans le commentaire en voix hors champ. Voici ce qu'il dit: « Les gens attendent un changement. Ils cherchent quelqu'un qui écoutera vraiment leurs problèmes, leurs inquiétudes et leurs craintes. Quelqu'un qui écoutera et qui réagira. »

Il dit cela comme s'il récitait le monologue final d'*Hamlet* ou qu'il lisait *Moby Dick*. C'est grandiose et grisant et on a vraiment envie de le croire, parce qu'il a vraiment l'air convaincant.

Il s'exprime par fragments qui véhiculent un message tellement insipide qu'il en est inoffensif; si familier qu'il en est réconfortant; quelque chose qui parle aux gens, qui leur va droit au cœur, qui semble refléter leurs valeurs; et même s'il ne dit absolument rien du tout, il dit tout ça en même temps.

Les extraits sonores, c'est très bien, mais ce ne sont que des mots sur une page qui sonnent vraiment faux s'il n'y a personne pour les prononcer. Et Bob est naturellement très doué pour cela.

Il est né pour être politicien, comme d'autres sont des peintres, écrivains ou sportifs-nés. En réalité, c'est une tromperie, car des gens qui sont créatifs ou pourraient exceller dans tel ou tel domaine, même s'ils sont peut-être nés avec les graines du génie en eux, ne sont ce qu'ils sont que parce qu'ils ont cultivé un talent pendant des années, qu'ils s'y sont consacrés totalement et en ont fait le cœur de leur personnalité.

Pour être politicien, aucun talent particulier n'est nécessaire, juste une psychopathologie particulière. Il est donc absolument correct de dire que quelqu'un est né pour être politicien. Les hommes politiques font partie d'une race particulière d'êtres dont la réussite repose sur l'exploitation de leurs bizarreries de caractère, leur astuce et leurs artifices de séduction, plutôt qu'un ensemble particulier de compétences. Qui ont compris par quel raccourci ils pouvaient parvenir au même objectif que d'autres atteignent uniquement grâce à leur labeur et leur discipline. Qui jouent la partie en trichant pour être sûrs d'arriver à leurs fins.

Et je ne cherche pas à rabaisser Bob, car il est très bon dans son boulot. C'est l'un des meilleurs et je comprends très bien pourquoi Jack l'admire à ce point.

Bob réussit le pari de paraître urbain et campagnard en même temps, sans s'aliéner les uns ou les autres, les citadins et les paysans. Il parle à la fois avec sa tête et ses tripes. Je suis sûre que Bob pourrait vendre du dentifrice à des édentés, des chaussures et des gants à des amputés et des assurances vie à des condamnés dans le couloir de la mort. C'est dire à quel point il est bon.

Et il a le physique du rôle aussi. Bob a ce que j'appelle « des cheveux de politicien ». Si parfaitement coiffés et luisants qu'on les croirait moulés dans de la gélatine. Une mèche peut s'égarer de temps en temps, mais à part ça, ils ne perdent jamais leur forme. Ils tremblotent, c'est tout.

La pub se termine sur un gros plan et je peux distinguer le moindre pore sur le visage lise, bronzé et dessiné de Bob. Il ressemble un peu à Cary Grant, qui pour moi doit être le modèle que cherchent à imiter tous les politiciens – suave, intelligent, sexy et vulnérable. Le genre de personne que les hommes veulent être ou avoir comme ami, et avec qui les femmes veulent simplement baiser.

Bob assène son coup de grâce, la phrase massue qui va convaincre les électeurs que c'est un battant, le type qu'ils veulent envoyer à Washington les représenter. Il parle de ce qu'il va faire pour l'État s'il est élu. Il dit : « Je veux que les gens de cet État voient le vrai Robert DeVille. »

Et je dois me retenir pour ne pas éclater de rire, car personne ne l'appelle jamais Robert. Tout le monde l'appelle Bob. C'est comme s'il avait deux facettes : une pour le public et une pour tous les autres gens.

Bob disparaît de l'écran et il ne reste plus qu'un slogan : VOTEZ ROBERT DEVILLE, et une voix déclarant que la publicité a été payée par un comité d'action politique quelconque.

Son visage est remplacé par Forrester Sachs, le présentateur préféré de Jack.

Celui-là, je ne sais pas ce que Jack lui trouve ; pour moi, c'est juste un con prétentieux. Mais quand Jack est à la maison, il ne manque jamais son émission.

Forrester Sachs est Bob DeVille sans l'intelligence ou le charme. Il a un nom d'entreprise. Et il en a l'allure et la manière de parler.

Tout ce que j'ai dit sur la psychopathologie du politicien s'applique doublement aux présentateurs de journaux télévisés. Ce sont des gens qui voudraient être politiciens, mais que leur vanité empêche d'entrer en compétition avec quiconque excepté d'autres présentateurs ; c'est à qui aura le plus de temps d'antenne, les meilleurs horaires, les meilleurs chiffres d'audience – toutes ces choses qui comptent vraiment dans la vie.

Forrester Sachs détient les meilleurs chiffres d'audience pour un journal télévisé. C'est un requin en costume sur mesure, avec des cheveux en brosse poivre et sel, une mâchoire tellement carrée qu'on la croirait moulée dans de l'acier, et des sourcils dessinés et épilés à la perfection ; un *look* qui exprime toutes ses valeurs clés : sobriété, sérieux, jeunesse et sagesse. Un automate asexué qui parle en fixant la caméra et en prenant un air sérieux et important. Mais rien ne pouvait me préparer à ce qui allait sortir de sa bouche.

Il déclare :

– Ce soir… Dans *Forrester Sachs présente*… Nous enquêtons… Bundy A Un Incroyable Talent… Le site Web qui a conduit trois jeunes femmes au suicide en autant de mois… Et nous en apprendrons davantage sur l'homme qui se cache derrière… Bundy Tremayne… L'autoproclamé dénicheur de talents du porno sur Internet.

J'en reste bouche bée. À présent, c'est moi qui m'avance au bord du siège, même si je ne peux rien laisser paraître. Car je n'ai jamais parlé à Jack de Bundy. Jamais ne serait-ce que prononcé son nom. S'il était au courant que je connais Bundy, il exigerait de tout savoir. Et même si je ne lui disais pas tout, il ne lui faudrait pas bien longtemps pour le deviner tout seul.

À l'arrière-plan, dans le coin supérieur gauche, derrière le visage lisse et étrangement dépourvu de rides de Forrester Sachs, apparaît une photo de police de Bundy qu'un documentaliste de l'émission, bien trop doué pour son boulot, a réussi à se procurer.

Pour quoi faire et où, je n'en sais rien, mais je ne pense pas qu'il ait été arrêté pour quelque chose de plus grave que conduite en état d'ivresse ou possession d'herbe, car Bundy est juste un crétin, pas un grand criminel. Sur la photo, Bundy a l'air fatigué et peut-être un peu éméché, et ses cheveux sont aplatis par la marque de sa casquette.

Mais ce n'est pas tellement l'allure qu'il a sur la photo qui importe, c'est ce pour quoi elle le fait passer. Pour les téléspectateurs, Bundy est déjà un dangereux criminel. Durant les trente secondes qu'il a fallu à Forrester Sachs pour présenter son émission, il a déjà été inculpé, jugé, reconnu coupable et condamné devant le tribunal de l'opinion.

Le temps qu'arrive le générique de fin, le nom de Bundy traînera sur Twitter avec certains des hashtags suivants, voire tous :

prédateursexuel
suicide
règlesdebaisedebundy
pédophile
violeur
boulesàlair
pipe
lamortesttropdoucepourlui
héros
gagnant

Des pages auront été créées sur Facebook en son honneur, pour et contre, avec son nom, son âge, son lieu de naissance, sa ville de résidence, son histoire sexuelle et la photo de police. Chacune avec déjà plusieurs centaines de milliers de *J'aime*. Des filles auront laissé leur numéro de téléphone et leur taille de soutien-gorge dans les commentaires. Il y aura autant de menaces de mort non déguisées que de paroles d'encouragement.

Bundy est un malfrat instantané, une célébrité instantanée, un héros populaire bon teint. Sa marque est devenue mondiale et tout ça paraît tellement malsain.

Bundy est vilipendé sur la télévision nationale et il le mérite. C'est un pervers. Pur et simple. Même si je m'en veux un peu parce que j'aurais dû le percer à jour. Comme toutes ces autres filles. Mais elles ne sont plus là pour s'exprimer et dire ce qui s'est vraiment passé. Au lieu de cela, c'est Forrester Sachs qui parle à leur place. Un présentateur qui peut raconter leur histoire et leur tragédie et battre des records d'audience.

« À vingt-deux ans, Kirstin Duncan pensait ne pas avoir le choix, déclame-t-il. Son unique coup d'un soir se révéla être un cauchemar dont elle comprit qu'elle ne pourrait pas s'échapper. Un cauchemar qui la conduisit à se supprimer. Mais avant cela, elle tourna cette vidéo pour que le monde entier connaisse sa version de l'histoire. Et pour dénoncer le prédateur sexuel qui lui a fait croire qu'il ne lui restait plus aucune raison de vivre. »

La vidéo est diffusée, sans aucun commentaire. Et je dois dire qu'elle n'est rien de moins qu'accablante. Kirstin ne va pas jusqu'à donner des noms. Mais ce qu'elle dit est assez clair. Qui l'a poussée. Qui était responsable.

Bundy.

La vidéo est tournée dans la chambre de Kirstin. Avec la webcam de son ordinateur portable. Elle est assise à son bureau et, derrière elle, tout est blanc et rose, Hello Kitty, en duvet ou en dentelle. On dirait une chambre d'enfant qui a été décorée sans regarder à la dépense.

Mais une chambre d'enfant habitée par une adulte.

Elle est maquillée et vêtue de sa tenue préférée. Elle est vraiment, vraiment jolie. Toute innocente et suave. On dirait la fille de quelqu'un. Pas un coup d'un soir. Elle a l'air glaciale. Et j'ai beau m'y efforcer, je n'arrive pas à imaginer ses lèvres se refermant sur le sexe de Bundy et son sperme sur sa langue. Ça ne me paraît tout bonnement pas normal. Ce qui est le but de ce petit exercice, sans doute.

C'est une vidéo sans le son – à l'époque d'Internet et du téléphone intelligent, comme si le parlant n'avait pas été inventé – avec une chanson de Nickelback en fond sonore. Et c'est bien trouvé, car s'il y a bien un groupe qui peut faire la trame sonore d'une lettre expliquant un suicide, c'est bien Nickelback.

Si j'étais une jeune femme qui estime qu'elle n'a plus aucune raison de vivre et que je tournais une vidéo de ce genre, je choisirais probablement Chad Kroeger pour s'exprimer en mon nom, être la voix que j'ai toujours estimé ne pas avoir. La voix qui exprime mes tourments et mes chagrins les plus intimes. La voix qui dise à ma place : « J'en peux plus. »

Pendant que Chad chante, Kirstin présente une série de cartes qu'elle a empilées devant elle. Ce sont les choses qu'elle veut dire, qu'elle veut que le monde entier sache. Tous ses secrets. Écrits proprement au feutre noir – en lettres capitales – sur des cartes en carton blanc format papier à lettres, mais sans aucune considération pour la grammaire, la ponctuation ou l'orthographe. Je me demande comment une fille a pu arriver à la vingtaine et écrire encore comme une petite de dix ans. Je n'aurais pas supporté d'être le prof devant corriger ses copies.

Chaque fois qu'elle brandit une carte, elle mime une émoticône qui lui semble adaptée – comme si c'était un jeu et que tout le monde connaissait la réponse avant d'avoir vu le mime.

Elle montre la première carte.

J'AI RENCONTRE UN GARS

Puis la suivante :

IL ÉTÉ VRAIMENT MIGNON

Elle lève les deux pouces et fait un grand sourire idiot.

IL AVEZ UN BAIGNE TATOUÉ
SOUS L'ŒIL

Ça ne pouvait vraiment être que Bundy.

LOL

Elle mime un gros rire.

G CRU QU'IL M'AIMER
G CRU QU'ON SERAIT TOUT LES 2 POUR TOUJOUR

Elle forme un cœur avec le pouce et l'index de chaque main, le plaque sur sa poitrine et sourit de nouveau.

ET IL S'OCCUPERAIT DE MOI
JE LE LAISSERAIT PRENDRE DES FOTOS

Elle secoue la tête pour mimer le regret.

IL DISAIT QUE CT JUSTE POUR NOUS

Elle se mord la lèvre et hoche la tête.

POUR QU'ON SE RAPPEL NOTRE 1ERE FOIS
ET POUR LES REGARDER QUAND
ON SEREZ SUPER VIEUX

POUR SE RAPPELER COMMENT CT
ET JE LES CRU
MAIS CT PAS VRAI

Elle secoue solennellement la tête. Je regarde ça et je me dis qu'on est loin de *Subterranean Homesick Blues*, et que Bob Dylan n'apprécierait probablement pas.

IL LES A POSTER SUR UN SITE WEB
ET JE LES SUS QUE
QUAND CT TROP TARD

Elle fronce les sourcils et hoche de nouveau la tête – lentement, genre incrédule.

ET PIS MA COPINE M'A DIT
QUE SON FRERE LES AVEZ VU
ET IL LES AVEZ SUR SON TELEPHONE
IL LES ENVOYEZ A TOUT SES AMIS
ET TOUT LE MONDE SAVEZ

ET TOUT LE MONDE
PARLEZ DE MOI SUR FACEBOOK
EN ME TAGUANT POUR QUE JE VOIT

Elle a renoncé à mimer. À présent, elle débite les cartes le plus vite qu'elle peut, parce qu'elle veut simplement en finir. Parce que c'est vraiment gênant de diffuser ce genre de truc sur un forum public. Son visage n'est plus qu'un masque de regret.

IL DISAIT DES TRUCS HORRIBLE SUR MOI
QUE GT UNE SALOPE
ET UNE PUTIN
ET UNE DROGUER

Plus l'histoire est émotionnellement accablante, plus son orthographe l'abandonne.

SI J'AURAIT SU JE L'AURAIT PAS RENCONTRER
ET SA SEREZ PAS ARRIVER

* * *

La vidéo s'achève ainsi. Je repense à la nuit que j'ai passée avec Bundy et Anna, à le regarder travailler, et j'estime qu'elle a écarté certains détails, qu'elle est restée floue sur d'autres, pour protéger sa dignité. Ça n'évoque Bundy qu'à moitié. Les passages vraiment durs manquent. Et je ne cherche pas à minimiser ce qu'elle a subi, ce qu'elle a cru devoir faire, mais le reste est une pure et simple histoire classique de cyberharcèlement, et personne ne saura jamais d'où venait la goutte d'eau qui a fait déborder le vase.

Forrester Sachs relate solennellement les dernières heures de Kirstin, avec toute la gravité dont il userait s'il racontait le décès d'un chef d'État très aimé. Et il commence à réciter les noms de toutes les autres filles figurant sur les sites Web de Bundy qui ont trouvé la mort.

Quand il arrive à Daisy Taylor, c'est le déclic. Daisy, c'est la fille qui travaillant avec Jack au QG de campagne. Je ne sais pas pourquoi je n'ai pas fait le rapprochement jusque-là. Peut-être parce que ce qu'on voit à la télé ne paraît jamais réel, ou avoir le moindre lien avec votre propre vie.

Sauf qu'il ne s'agit plus seulement de Bundy, à présent, mais de Jack. Je le regarde, il fixe l'écran, de marbre. Je pose la main sur son dos pour qu'il sache que je suis là, à ses côtés, pour le soutenir. Il ne réagit pas, mais il ne s'écarte pas non plus. Il reste le regard fixé sur l'écran, parce que Forrester Sachs n'a pas encore fini. Il lui reste encore quelques clous à enfoncer dans le cercueil de Bundy.

Sachs révèle sur Bundy quelque chose que j'ignorais. Que si les filles qui échouaient sur son site Web le regrettaient par la suite, si elles le suppliaient d'enlever les photos, il était prêt à le faire. Mais uniquement si elles le payaient.

Bundy est plein de surprises, disait Anna. Oh, que oui.

Photographe. Pornographe. Souteneur. Maître chanteur. Une grosse merde.

C'est à ce moment-là que Jack en a assez: «Ce type est un vrai salaud», dit-il avec une telle violence que j'ai presque peur, car je ne l'ai jamais vu aussi en colère. Je n'aurais jamais cru qu'il avait ça en lui. «Pourquoi on regarde cette merde?»

Je dois lui rappeler que c'est son émission préférée.

Il veut changer de chaîne. Je lui réponds que je veux regarder jusqu'au bout, parce que Bundy est un ami d'Anna.

«Anna devrait choisir ses amis avec plus de discernement, rétorque-t-il. Tu l'as déjà rencontré?

– Non. (Le mensonge me vient très vite.) Mais je l'ai entendue parler de lui.

Si seulement Jack connaissait la moitié de la vérité. S'il savait que Bundy a essayé de faire de moi, de sa petite amie, une pute de haut vol, il ne se contenterait pas de crier devant la télévision et de vouloir changer de chaîne.

C'est pour cela qu'il ne doit jamais savoir.

J'aimerais bien être comme Kirstin et dévoiler tous mes secrets. J'aimerais être aussi courageuse qu'elle et tout avouer. Tout serait tellement moins compliqué.

Les producteurs de l'émission ont retrouvé les parents de Kirstin, Gil et Patty, pour qu'ils puissent s'exprimer eux aussi. Gil est cadre dans le pétrole. Patty est femme au foyer. Ils sont debout tous deux dans l'allée de leur belle demeure, ils jouent la comédie du couple fort, alors qu'ils se déchirent dans un divorce qui se passe mal.

«Ma petite fille ne ferait jamais ces choses dont il a été question, déclare Gil. Je vais faire remonter cette histoire jusqu'au Congrès. Le Web entier devrait être censuré. Il faut nettoyer cette saleté, effacer les photos de ma petite fille que ce pervers a prises. Il marque une pause, puis, estimant qu'il n'a pas été assez convaincant, il ajoute: Pour que son petit frère ne les voie jamais.

On dirait que Gil ne sait pas ce que c'est qu'Internet. C'est un cadre dans le pétrole complètement largué qui ignore tout de la réalité, dont la secrétaire traite les courriels et allume même son ordinateur, qu'il ne sait de toute façon pas utiliser et qui trône sur son bureau comme une grosse lampe noire, laide et très bruyante.

C'est comme s'il ne comprenait pas une caractéristique fondamentale d'Internet: c'est irrévocable. Il suffit de faire une bêtise une seule fois pour qu'elle vous suive toute votre vie.

Et apparemment, Kirstin ne le savait pas non plus – même si elle employait quatre-vingts pour cent de ses journées à surfer, à envoyer des SMS, des messages, à publier –, et c'est bien ainsi qu'elle s'est retrouvée dans le pétrin. Elle a rencontré Bundy en ligne, accepté de le retrouver dans un bar. Le reste fait partie de l'histoire d'Internet.

À présent, elle n'est plus Kirstin. Elle est « Suceuse Châtain n° 23 » sur Salopes Pleines de Cash. Elle a eu droit à rien moins que quinze millions de visiteurs durant la deuxième pause publicitaire de *Forrester Sachs présente*. Kirstin vient de devenir un support de branle instantané pour plusieurs millions de vicieux qui n'auraient jamais fait le rapprochement entre son visage et un nom si Forrester Sachs n'avait pas fait tout le boulot pour eux. Pas seulement en Amérique, mais dans le monde entier. Référencée et repostée sur les blogues pornos de l'Azerbaïdjan aux îles Caïman. Et ce n'est pas seulement la marque Bundy qui est devenue planétaire: son site Web a connu un tel pic de fréquentation que le serveur a eu une panne temporaire et que ses revenus publicitaires sont montés en flèche.

Cette pauvre fille est morte. Bundy est riche.

La vie est tellement injuste. C'est vraiment dégueulasse.

Mais Bundy a pris le bord. Il a disparu et personne ne sait où le trouver. Et comme Forrester Sachs ne peut pas le joindre pour une interview exclusive, ses producteurs convainquent quelqu'un d'autre de parler pour Bundy.

Sa mère, Charmaine.

« Après la pause, annonce Sachs… Nous parlerons avec la mère de Bundy Tremayne… et nous verrons ce qu'elle a à dire sur son fils. »

Durant la pub, je vais chercher une bière pour Jack et, pendant que je suis dans la cuisine, j'appelle Anna. Elle ne décroche pas. Je lui envoie un texto à la place.

BUNDY. C'EST QUOI CETTE MERDE ?

Comme elle ne répond pas le temps que je sorte la bière du réfrigérateur, je laisse mon téléphone sur le comptoir et je le verrouille, au cas où Jack s'aventurerait par là.

Je lui apporte sa bière juste au moment où Charmaine apparaît sur le balcon de son appartement avec vue sur la mer. L'appartement que lui a acheté Bundy. L'appartement qui va être saisi par la banque s'il ne continue pas de payer les mensualités – parce que Charmaine n'a pas de revenus. Je ne doute donc pas qu'elle ait sauté sur l'occasion de passer à la télé à l'heure de grande écoute pour supplier Bundy de refaire surface. Charmaine Tremayne a elle aussi sa petite histoire tragique à raconter.

Après la naissance de Bundy, Charmaine s'est reprise en main et a éprouvé le besoin de combler le vide dans sa vie qu'avait laissé la drogue. Anna m'a raconté qu'elle s'était tournée vers la religion, mais qu'elle la traitait comme tout le reste dans sa vie, comme lorsqu'elle se comportait en acheteuse compulsive ou qu'elle expérimentait différents mélanges de poudres et de cachets. Aujourd'hui, elle estime qu'elle les a toutes essayées.

New Age, christianisme, judaïsme, bouddhisme, hindouisme, sikhisme, islam.

Chaque fois qu'elle a découvert une nouvelle religion, elle n'a pas pu se résoudre à abandonner la précédente. Alors elle l'a ajoutée aux autres, en adoptant de nouveaux rites, superstitions et icônes. Chacune a laissé sa marque sur elle. Elle a des tatouages au henné sur les mains, des breloques amérindiennes aux poignets, et une médaille de Jésus au cou. Elle pratique le yoga, psalmodie, se confesse, observe le shabbat et jeûne. C'est une contradiction ambulante de la parole divine. Comme si elle croyait en même temps à toutes les religions et à aucune.

Anna m'a aussi parlé du père de Bundy, Richard Savoy Tremayne, qui a suivi un itinéraire similaire, mais légèrement dévié. Il a renoncé aux drogues, quitté la finance et monté un groupe de thérapie pour ceux qui ont envie d'en faire autant. Sans s'en rendre compte, tout comme Kubrick, il a découvert qu'il y avait une grosse demande dans le secteur financier. Son affaire a prospéré. Des banquiers drogués ont fait la queue devant chez lui, réclamant ses conseils et son soutien. Le groupe de thérapie est devenu une secte, composée d'anciens directeurs de compte accros au crack, de directeurs financiers héroïnomanes et de courtiers amateurs de meth, avec Richard en figure de proue et gourou, et Charmaine à ses côtés. Bundy a été élevé dans la secte, mais à la puberté, il a commencé à se révolter.

Vers la même époque, Charmaine s'est brièvement convertie à l'islam et a pris un prénom musulman – Leïla. Elle s'est rendu compte qu'elle n'avait épousé Richard que pour son nom, parce qu'il rimait joliment avec le sien. Alors elle l'a quitté. Il lui a coupé les vivres et l'a laissée sans revenus.

En l'observant à l'écran, je devine à son expression qu'elle ne se fait pas suffisamment – ou convenablement – baiser. Elle ressemble à ces chefs de bureau tellement raides et coincées dont les collègues masculins, dans son dos, disent qu'elle aurait « bien besoin d'un bon coup de bite ».

Et ils croient tous que ce sont eux qui vont le lui donner. Ils ont probablement raison, elle a sans doute juste besoin d'un bon coup de bite. Mais en même temps, je ne suis pas sûre que ce soit aussi simple. Je pense que se priver de sexe provoque une folie qui corrompt votre corps et votre esprit – de l'intérieur – comme la syphilis, et qu'au final, ça se voit sur votre visage, dans votre comportement et votre façon d'être tout entière.

Charmaine Tremayne a sacrifié son âme pour son fils. Mais elle a seulement accepté de passer chez Forrester Sachs pour éviter que son appartement ne soit saisi. Ce qu'elle ignore, c'est qu'elle se montre tout à son désavantage. La seule chose qu'elle sait, c'est que Bundy a disparu. Elle croit qu'elle est invitée dans l'émission pour jouer la mère éplorée, comme toutes les autres, qui espèrent le retour de leur petit garçon chéri. Alors qu'elle n'est là que pour jouer les boucs émissaires.

« Je suis fière de mon fils, déclare Charmaine. (Elle a dû boire quelques verres pour se donner du courage avant de passer à l'antenne, car elle a les yeux vitreux et la voix un peu pâteuse.) C'est un homme d'affaires. Il s'est fait tout seul. Et il a réussi.

– C'est un prédateur sexuel, Charmaine », rétorque Sachs.

Et les mots « prédateur sexuel » coulent si magnifiquement de sa bouche qu'il a dû passer toute la soirée à répéter comment les prononcer avec juste assez d'indifférence, un soupçon de vertu indignée et aucune méchanceté apparente.

« Non, dit-elle. Non. »

Comme si elle n'était pas tout à fait convaincue de ses dénégations. Si on pouvait voir les jambes de Charmaine en ce moment, elles flageoleraient.

« Il a poussé ces filles au suicide, Charmaine », précise Sachs.

Il baisse nonchalamment les yeux sur ses notes en disant cela, parce qu'il sait qu'il est tellement bon à ce petit jeu qu'il pourrait le faire les yeux fermés. Et je me demande si quelqu'un est payé pour écrire ses textes ou s'il le fait lui-même.

« Non, dit-elle. Non. »

Et cette fois, c'est parce qu'elle ne trouve rien d'autre à dire. On voit bien que Sachs ne s'intéresse pas vraiment à ses réponses, de toute façon. Que pour lui, elles sont immatérielles. Rien de plus que de l'air vide pendant qu'il reprend son souffle avant de lâcher une autre bordée de calomnies déguisées en questions. Tout ça a été scénarisé à l'avance. Pour que Forrester Sachs passe pour le héros, l'homme fort qui défend les humbles du monde entier. C'est un présentateur de télé en costume Tom Ford qui se prend pour le Messie, avec des bras tellement grands qu'ils pourraient étreindre toutes les victimes du monde.

En réalité, il se contente de perpétuer le cycle, de les victimiser dans la mort autant qu'elles l'étaient de leur vivant. De laver le linge sale de tout le monde en public sans la moindre considération pour les conséquences. De sacrifier ses sujets sur l'autel de sa vanité. Je me demande comment il fait pour dormir la nuit, vraiment.

« Que voulez-vous dire à votre fils, Charmaine ? » reprend Sachs. Maintenant que vous savez ce qu'il a fait. Maintenant que vous savez que des gens sont morts.

Là, Sachs guette le gros lot, les superimages qui vont être rachetées et diffusées dans tous les journaux télévisés de toutes les chaînes, quasiment en boucle, comme bande-annonce pour cette affaire de mœurs.

Le plan de coupe montre Charmaine qui regarde droit dans la caméra, ou plutôt à l'endroit où elle croit qu'elle devrait regarder. C'est au cameraman qu'elle s'adresse et non à la caméra, si bien qu'à l'écran, elle a l'air de fixer un vague lointain, comme si elle n'était pas vraiment là. Et ses yeux vitreux se remplissent de larmes, ses lèvres tremblent comme si elle allait pleurer, et elle déclare d'une voix brisée par l'émotion :

« Maman t'aime, Bundy. Maman t'aime. »

Vous devinez presque le sourire narquois sur le visage de Sachs, parce qu'il a eu ce qu'il cherchait. Et tandis que j'assiste à tout ça, je me rends compte que cet épisode se transforme en l'une de ces tragédies que vous voyez à la télévision, sans jamais penser que vous pourriez y jouer le moindre rôle.

Couverture nationale, vingt-quatre heures sur vingt-quatre, jour et nuit. Ces vies, ces morts, célébrées pendant un bref moment, dans la frénésie d'un cycle d'information. Ou, si elles sont vraiment chanceuses, peut-être trois ou quatre jours. Peut-être que célébrées n'est pas le mot qui convient : fétichisées. Puis oubliées tout aussi rapidement. Pour devenir rien d'autre qu'une victime anonyme et sans visage d'une tragédie qui aurait probablement pu être évitée dès le début.

À cet instant, j'estime que j'en ai assez aussi. Je dis à Jack de changer de chaîne et il n'est que trop heureux de le faire. Nous tombons sur la fin de la pub de campagne de Bob DeVille diffusée à nouveau, et Bob dit une fois de plus combien il veut que les gens le voient tel qu'il est réellement.

« Bob nous a invités à passer le week-end chez lui, annonce Jack, le regard de nouveau fixé sur l'écran, sur Bob.

– Ah bon ? demandé-je, surprise, mais enchantée.

– Je me suis dit qu'on pourrait y passer un moment ensemble », dit-il.

Je rayonne intérieurement. On dirait qu'il me tend un rameau d'olivier, qu'il nous donne une deuxième chance.

« Ça me plairait bien. Quand ?

– Ce week-end. »

Je suis secrètement ravie, car c'est le week-end de Columbus Day – un long week-end, les dernières vacances avant l'élection – et nous serons ensemble durant tout ce temps. Je ferai n'importe quoi pour cela, même si cela implique de jouer la petite amie docile devant le patron de Jack.

CHAPITRE 18

Durant le trajet jusque chez les DeVille, tout se passe comme si Jack et moi quittions nos problèmes pour nous diriger vers un nouvel horizon, j'ai envie de tout laisser derrière moi et de prendre un nouveau départ. À plusieurs reprises, je le surprends qui me jette un coup d'œil quand il croit que je ne fais pas attention.

Bob DeVille et sa femme Gena habitent dans un magnifique ranch de trois étages bâti à flanc de colline, avec un jardin, des hectares et des hectares de terrain, une piscine et une terrasse donnant sur une longue et luxuriante vallée au fond de laquelle coule une rivière, avec des montagnes au loin. Depuis la terrasse, on peut admirer un vaste paysage qui semble s'étendre sans fin sur des kilomètres, avec seulement une poignée de maisons visibles aux environs.

Bob nous y conduit à peine arrivés pour nous montrer la vue, et je suis subjuguée.

« Je veux habiter ici, chuchoté-je à Jack.

– Ici ?

– Un endroit identique, dis-je. Juste toi et moi, isolés par la beauté.

– Il va falloir que je devienne quelqu'un, alors, sourit-il.

Je ne doute pas qu'il réussira et je veux être avec lui quand ce moment arrivera.

– C'est incroyable, ici, ajouté-je. Je savais que Bob était riche, mais je n'imaginais pas qu'il l'était autant.

– Il est doué, acquiesce Jack. C'est l'un des meilleurs dans son domaine. Il défend des compagnies pétrolières. »

C'est la première fois que je rencontre Bob en personne. Jusqu'ici, je ne l'avais vu que sur les affiches de campagne géantes qui tapissent la façade de son QG. Des affiches qui ressemblent à des publicités pour des produits d'hygiène. Photoshopées à la perfection. Bob est bel homme, dans le genre bourru et onctueux – le cow-boy Marlboro qui ferait de la pub pour un dentifrice – mais ce n'est qu'une image, car il n'est pas du tout comme ça en réalité. Il est tellement raide qu'il a un côté gauche et un peu pataud qui me le rend encore plus sympathique.

Gena est une beauté du Sud, une *Southern Belle* pleine de grâce et d'allure qui ne peut qu'être le produit d'une école privée. On dirait un vestige du glamour des années soixante : ses cheveux blonds ont un brushing impeccable, comme si c'était toujours à la mode. Elle porte un tailleur-pantalon turquoise, le genre de tenue dans laquelle on voit toujours Hillary Clinton, distinguée et élégante à la fois.

Avant le déjeuner, Bob et Jack discutent entre hommes de politique et de la situation mondiale, assis sur le canapé. Moi je passe en revue les photos posées sur le manteau de la cheminée, et je suis attirée par un vieux portrait en noir et blanc de Gena.

Elle devait avoir à peu près mon âge quand cette photo a été prise. On dirait Ingrid Bergman dans *Voyage en Italie*. C'est dire comme elle est belle et sophistiquée. Mais ce sont ses yeux qui m'attirent, remplis d'une ardeur et d'une chaleur hypnotisantes.

« Quels beaux yeux, dis-je à voix haute en m'emparant du cadre, sans m'adresser à personne en particulier ni me rendre compte que Gena est derrière moi.

– Eh bien, merci, répond-elle. Bob me dit toujours que ce sont mes yeux qui ont ravi son cœur et qu'il a dû m'épouser pour le récupérer. »

Et pendant qu'elle parle, mon regard va de la photo à ses yeux, et je réalise que ce ne sont pas les mêmes. Les yeux de Gena sont voilés, comme si elle avait pris trop de médicaments à contre-indications multiples, et sa bouche est déformée aux commissures, comme cela arrive à un clou quand on lui donne un coup de marteau de travers alors qu'il est déjà à moitié enfoncé dans le mur.

Je me demande ce qui a frappé Gena pour la dénaturer ainsi. Je la regarde mieux à présent, et elle a l'air fou et perdu. Mais je dois dire qu'elle trompe bien son monde.

Jack ne voit rien de tout ça. Il ne voit pas les petites craquelures. Il n'est pas prêt à regarder au-delà de la façade que Bob et Gena offrent. Il est trop captivé par ce que dégage Bob.

Jack est un garçon intelligent et perspicace. Mais parfois, je désespère de lui. Ce n'est pas qu'il est incapable de percer les gens à jour. Il n'en a tout bonnement pas envie. Il a beaucoup trop besoin de croire en eux, de renforcer l'idée qu'il a de lui-même et de sa place dans le monde. Aux yeux de Jack, Bob ne peut rien faire de mal.

Maintenant que je les vois ensemble, j'ai le sentiment que Bob perçoit Jack de la même manière, comme le genre d'homme qui a un grand avenir devant lui. Je fais semblant de ne pas écouter leur conversation, mais j'entends Bob dire à Jack : « Tu es le genre de garçon qui me serait utile. Si on va jusqu'au bout, je peux te trouver un poste. »

Il prend Jack par l'épaule dans un geste paternel. C'est l'autre chose dont je m'aperçois maintenant que je les vois ensemble : Bob voit en Jack le fils qu'il n'a jamais eu.

Bob et Gena n'ont pas d'enfants, ce qui est un peu étrange, quand j'y songe, parce qu'aucun politicien sans enfant ne me vient à l'esprit. Même ceux qui se font prendre le pantalon aux chevilles en train de se faire ramoner dans leur bureau du Congrès par un beau petit étalon ramassé dans un bar gai, et qu'ils ont réussi à faire embaucher comme secrétaire privé en contournant le règlement. Même ces types ont une femme et des enfants.

Bob et Gena n'en ont pas, ils ont un chien, à la place. Une sorte de terrier. Et ils lui ont donné le nom de l'enfant qu'ils n'ont jamais eu. Ils l'ont baptisé Sebastian. Ils le traitent comme un enfant. Parce que c'est une occasion spéciale et qu'ils ont des invités, Gena a affublé le petit chien d'un smoking et d'un nœud papillon.

Certaines personnes sont chat, d'autres sont chien. Je suis les deux. J'adore les chiens. Mais pas les petits chiens. Et surtout pas ce petit chien-là.

Ce chien se croit mignon. Alors qu'il ne l'est vraiment pas. C'est juste une bestiole qui essaie compulsivement de faire son intéressante. Son jouet préféré est un chien en plastique. Même race, même couleur, juste en miniature. Comme une réplique de lui-même sous forme de personnage de dessin animé. Un chien en plastique qui couine. Et son passe-temps préféré consiste à trotter dans la maison comme si c'était la sienne, trimballant le chien en plastique dans sa gueule et le mordillant toutes les deux secondes pour le faire couiner. Il laisse tomber cette version en plastique de lui-même ruisselante de bave à mes pieds, et attend que je la ramasse et la lance. Je la lance, et dix secondes plus tard, le voilà revenu, le jouet déposé à mes pieds, encore plus ruisselant de bave.

Bob et Jack sont toujours en pleine conversation. Gena est dans la cuisine et je me retrouve à jouer avec ce chien imbécile et son double en plastique. Au bout de trois ou quatre tours, je m'ennuie déjà. Le jouet n'est plus qu'une boule de bave avec du plastique dedans, et je répugne à le ramasser parce que je ne sais pas où ce chien est allé se fourrer. Dieu merci, c'est à ce moment précis que Gena nous appelle pour déjeuner.

Nous sommes assis à une magnifique table en chêne du début du siècle dernier dont les pieds sont en forme de pattes de lion. Elle est beaucoup trop grande pour quatre. Bob est assis à un bout, Gena à l'autre, Jack et moi face à face au milieu, et c'est comme s'il y avait un gouffre béant entre nous.

La table est dressée avec de la porcelaine, des couverts en argent et des plats en étain qui sont dans la famille de Bob depuis des générations. Nous nous apprêtons à entamer le traditionnel repas de Columbus Day que Gena nous a concocté. Morue salée, sardines, anchois, riz et haricots. Je ne savais même pas qu'il y avait un repas traditionnel pour le Columbus Day en dehors des spaghettis aux boulettes, mais apparemment oui : des plats de pêcheurs, comme on en mangeait à bord de la *Santa-Maria*.

Bob dit le bénédicité en bout de table, les mains jointes devant lui et la tête baissée. Je baisse la mienne aussi, mais je jette un regard par-dessus mes mains, comme quand j'étais jeune et que je me prêtais à la comédie sans vraiment la comprendre ni y croire. C'est une habitude, et je ne l'ai jamais vraiment perdue. Faire mine de dire le bénédicité.

Ma famille étant catholique, je ne peux pas dire que je n'ai pas eu amplement l'occasion de m'entraîner, pourtant aux repas de famille, j'ai toujours l'impression d'être une mécréante qui fait semblant. Je baissais la tête, mais je marmonnais les mots pour ne pas avoir l'impression que je m'engageais à les respecter, et je regardais en douce les autres convives au cas où j'aurais pu les surprendre en train de faire comme moi. Mon frère le respectait toujours scrupuleusement. Mais ma sœur aînée était comme moi, rebelle, et pendant que tout le monde remerciait le Seigneur, c'était à celle qui réussissait à tirer la langue la plus longue et le plus longtemps possible sans se faire pincer. Plus tard, quand nous avons été assez grandes pour comprendre ce que cela voulait dire, nous nous faisions un doigt d'honneur aussi.

Je lève le nez et regarde autour de moi. Bob prononce la prière comme il parle dans ses publicités de campagne. Gena a la tête baissée comme une suppliante, les paupières énergiquement fermées, avec une étrange expression peinée sur le visage pendant qu'elle répète après Bob. Quant à Jack, il fait comme moi, et quand nos regards se croisent, il m'adresse un sourire narquois.

Pendant que nous déjeunons, le chien, qui a déjà mangé, trotte inlassablement autour de la table avec son jouet qui couine dans la gueule, s'arrêtant à chaque place, laissant tomber le jouet et levant la tête pour demander à jouer. Quand un convive ne lui témoigne pas d'intérêt, il passe au suivant. Au bout d'un moment, il estime qu'il ne reçoit pas l'attention qu'il mérite et que le jouet n'a pas l'effet escompté.

Alors, ce chien, Sebastian, pose une crotte dans un coin de la salle à manger. Il laisse un parfait petit étron en plein milieu d'un magnifique tapis importé du Maroc. Il semble faire partie des motifs et est presque invisible.

Voilà ce que ce chien s'imagine être mignon de faire alors : poser une crotte au milieu de la pièce en guise de nature morte. Il chie, sans en faire tout un plat, pendant que nous mangeons – Jack, Bob, Gena et moi – à moins de deux mètres de là, et personne ne s'en rend compte. Jusqu'au moment où Bob se lève pour nous resservir à boire, marche en plein dedans, dérape comme s'il avait glissé sur une peau de banane et s'affale sur le cul. C'est tellement comique que je manque d'éclater d'un rire hystérique, sauf que Bob se met dans une telle fureur noire que Gena doit l'emmener à l'autre bout de la maison pour qu'il se calme. Jack et moi nous retrouvons tout seuls pour finir le repas, gauches et gênés comme si nous avions vu une partie de lui que nous n'étions pas censés voir. Finalement, Gena réapparaît.

« Bob se repose, dit-elle, expliquant que la campagne l'a poussé à bout tellement il s'est donné à fond. Ce n'est pas du tout son genre, vraiment », l'excuse-t-elle.

Nous ne revoyons Bob qu'en début de soirée, quand Gena et lui descendent pour se rendre à une soirée de financement à laquelle il ne peut pas se soustraire.

Jack et moi sommes restés assis sur la terrasse tout l'après-midi, à prendre le soleil sur des chaises longues et à profiter de la vue. À un moment, il s'est penché vers moi et m'a chuchoté :

« Bob et Gena sortent. »

J'ai souri et je lui ai lancé un regard qui voulait dire : Et qu'est-ce que tu sous-entends par là ?

Mais je savais déjà précisément ce qu'il voulait dire. Nous allions avoir la maison à nous tout seuls. Et nous allions pouvoir faire ce que font tous les jeunes gens en couple quand ils se retrouvent livrés à eux-mêmes dans une maison qui n'est pas la leur : baiser.

Jack m'a vraiment désarçonnée, là, et je ne vois pas du tout ce qui lui a pris, car il n'est pas seulement intéressé, mais c'est lui qui fait le premier pas. Nous sortons d'une pause et même avant ça, je n'ai pas réussi à l'exciter pendant des semaines ; soudain, il est complètement changé. C'est comme la première fois que nous avons couché ensemble, nous avions baisé comme des lapins partout où nous avions pu.

Jack ne manque pas d'audace, mais la spontanéité n'est pas vraiment son fort. Il aime toujours tout organiser, échafauder un projet – même s'il s'agit de baiser en douce dans la maison de son patron –, mais il n'aime pas que quelqu'un d'autre, moi par exemple, prenne la décision à sa place.

Nous regardons Bob et Gena partir dans leur voiture, une Cadillac DeVille – évidemment – décapotable de 1968 magnifiquement entretenue. Tandis qu'ils font le tour du terre-plein central, Gena nous fait signe et crie par-dessus le bruit du moteur:

« Soyez sages et ne chamboulez pas tout! »

Si elle savait.

Nous les regardons disparaître au bout de la route et à peine sont-ils partis que Jack se met à traverser la maison en courant et en arrachant ses vêtements. Il ne lui reste plus que son caleçon, qu'il abandonne juste avant d'arriver à la piscine et de plonger.

Je me débarrasse du chien en balançant le jouet dans le garage et en refermant la porte derrière lui à peine à l'intérieur. Juste pour qu'il reprenne pied avec la réalité et qu'il comprenne qu'il n'est ni aussi malin ni aussi mignon qu'il s'imagine. Je me suis à peine éloignée que je l'entends déjà commencer à geindre.

J'arrive à la piscine et je trouve Jack en train de flotter au milieu. C'est une soirée délicieusement chaude et le soleil jette les derniers feux du couchant. Jack a les cheveux trempés, le visage rayonnant, il est si beau et si heureux que j'ai hâte de le rejoindre.

Je commence à me déshabiller, mais pas assez vite pour Jack, car il s'écrie depuis la piscine:

« Allez, mais qu'est-ce que tu attends? Elle est bonne. »

Je m'avance sur le plongeoir, jusqu'au bout, et j'oscille en équilibre en le sentant céder sous mon poids. J'ai gardé mon soutien-gorge et ma petite culotte, parce que je veux l'exciter et les enlever le plus lentement possible sans qu'il en perde une miette. Je commence à dégrafer le soutien-gorge, puis je décide que je vais enlever d'abord ma culotte avant de changer à nouveau d'avis. Et alors que je lève les mains vers mon soutien-gorge, j'ai une sensation de déjà-vu.

Chaque fois que cela m'arrive, c'est presque comme une expérience mystique. Comme si j'étais soudainement et inexplicablement consciente d'un rêve qui a gouverné toute ma vie avant même que je l'aie commencée. Comme si en quelque sorte la barrière entre ma vie onirique et ma vraie vie était brisée et que j'étais capable de voir ce qui se passe des deux côtés du miroir en même temps. La vraie vie a la consistance d'un rêve et le rêve paraît absolument réel. J'ai l'impression d'avoir compris sur la réalité un secret fondamental que personne n'a encore jamais exprimé. Puis, aussi vite qu'elle est arrivée, la sensation disparaît et je reste avec l'horrible et obsédante impression de ne pas être capable de comprendre comment ni pourquoi j'ai éprouvé cela à l'instant.

Cette fois, ce n'est pas du tout un souvenir qui me revient, mais une scène dans un film que j'aime et que je me suis appropriée. Je suis Cybill Shepherd dans *La Dernière Séance*, me préparant à plonger toute nue dans une soirée piscine sous les yeux de tout le monde, transformant sa gêne en un sport cruel.

Ce n'est pas que j'aie des raisons d'être gênée, car les plus proches voisins de Bob et Gena sont tout au bout, de l'autre côté de la vallée. Il faudrait qu'ils aient leurs jumelles braquées sur nous pour pouvoir nous voir. Mais le simple fait d'être nue en plein air est quelque chose que j'ai toujours trouvé intimidant. Être nue en public, pas de problème. Que des gens me regardent, ça ne me gêne pas. Ce sont les yeux que je ne vois pas qui me rendent folle.

Comme Cybill Shepherd, je finis par faire fi de toute prudence, par enlever ma culotte et par plonger. Et quand l'eau fraîche m'enveloppe, j'oublie tous mes complexes idiots. J'ouvre les yeux, je vois sous l'eau le corps de Jack qui flotte et je nage vers lui. Jack est un corps sans tête. Des filets de lumière dansent sur son torse. Et comme il agite les jambes pour se maintenir en surface, sa bite et ses couilles flottent comme s'il était en apesanteur.

Je tends la main pour m'emparer de sa bite et il a dû me voir, car il se dérobe aussitôt en dos crawlé. Il ne s'arrête qu'une fois arrivé de l'autre côté, il pose les bras sur le rebord de la piscine et attend. Je refais surface et reprends mon souffle juste à côté de lui et il a l'air tout content de lui d'avoir réussi à déjouer mon stratagème.

Je pose les mains sur ses épaules, plaque un baiser sur ses lèvres. Elles sont si chaudes et les miennes si froides que je les laisse s'y attarder ; c'est agréable et nous nous faisons un câlin. Je me laisse flotter dans l'eau qui clapote sur le bord de la piscine et je le frôle.

Je m'enfonce le plus possible dans l'eau pour que mon entrejambe touche le sien et que la hampe de son sexe se niche dans ma toison. Quand je le sens bander, ce qui ne prend guère de temps, je baisse la main et empoigne sa bite en disant : « Je t'ai eu, là ! »

Et il rit.

Je le branle un peu, puis je respire un bon coup et remplis tellement mes poumons que j'ai l'impression qu'ils vont éclater. Il me jette un regard interrogateur. Et je plonge sous l'eau sans lâcher sa bite.

Avez-vous déjà essayé de tailler une pipe sous l'eau ? Ce n'est pas facile, mais en même temps, c'est tout à fait incroyable.

Quand j'ouvre la bouche pour prendre sa bite, des bulles d'air s'en échappent et j'en vois une minuscule rouler lentement le long de sa tige et se loger dans ses poils. Je referme mes lèvres sur son gland aussi vite que je peux pour ne pas avoir trop d'eau dans la bouche et je commence à le pomper.

C'est comme si tout se passait au ralenti. Mes cheveux flottent autour de moi comme des algues et m'enveloppent la tête comme un foulard, si bien que je ne vois plus Jack et que je sens seulement sa bite dure que je fais coulisser dans ma bouche brûlante.

D'une main, je le branle et de l'autre, je me retiens contre sa poitrine pour ne pas dériver. Il baisse les bras pour me peloter les seins, que je sens trembloter et rebondir. Puis il saisit mes tétons entre pouces et index et les tire doucement vers lui. Je sens mes seins qui rebondissent d'avant en arrière et se cognent comme un canot pneumatique à l'ancre, pendant que le reste de mon corps s'active sur sa bite.

C'est tellement agréable là-dessous, et je me sens tellement en sécurité que je n'ai plus envie que ça s'arrête, même quand je sens que je commence à manquer d'oxygène et que je suis un peu étourdie.

Ma bouche s'active sur la bite de Jack, que je prends un petit peu plus à chaque fois, et même un peu trop, car le gland touche le fond de ma gorge et je m'étouffe. Des bulles s'échappent de mon nez, de l'eau pénètre dans ma bouche. Et je sors en suffoquant pour chercher de l'air.

Je reprends mon souffle et nous nageons jusqu'à la partie de la piscine où nous avons pied. Je m'assois sur la deuxième marche, le haut du corps hors de l'eau, les bras sur le rebord. Jack m'écarte doucement les cuisses et je l'enserre à la taille pendant qu'il me pénètre et me pilonne lentement et régulièrement, et je le sens qui entre et ressort entièrement. À chaque aller-retour, l'eau clapote sous mes seins. Je serre un peu plus les jambes autour de sa taille pour qu'il comprenne que je veux qu'il aille plus profond.

Le soleil disparaît derrière les collines et incendie le ciel d'une lueur orange vif. Tout ce que j'entends, ce sont les chants du soir des oiseaux dans les arbres, le clapotis de l'eau sur les parois de la piscine, mes gémissements et ceux de Jack. C'est un moment parfait et c'est comme si tous nos problèmes s'étaient envolés : le manque d'entrain de Jack pour le sexe, la barrière entre nous. J'aimerais qu'il en soit toujours ainsi.

Nous sortons de l'eau et retournons vers la maison, ruisselants et encore rouges de passion. Une fois à l'intérieur, je rapporte un tapis en peau de mouton de la chambre que Gena nous a attribuée, et je l'étale devant la cheminée, pendant que Jack alimente le feu que Bob a laissé pour nous, afin de nous sécher.

Nous sommes assis côte à côte en tailleur devant le feu et j'ai l'impression que c'est le moment idéal pour dire quelque chose de romantique. Je me tourne vers Jack et je lui dis :

« Je veux que tu m'encules. »

Bon, cela ne vous paraît peut-être pas tellement romantique, mais peut-être que vous auriez dû être là, car c'est l'impression que ça m'a fait sur le moment. Là, à cet instant précis, je n'ai rien eu de plus intime qui me vienne à l'esprit que de me faire enculer par mon petit copain devant un feu ronflant.

Je l'ai dit sur un coup de tête, parce que je n'ai rien trouvé d'autre qui serait plus délicieux et pervers que de repenser à ce week-end plus tard en se disant qu'il m'avait enculé dans la maison de Bob DeVille. Est-ce que c'est vraiment arrivé ? Je l'ai dit par défi, car je sais que Jack est bien disposé et que je veux voir jusqu'où je peux le pousser à faire quelque chose qu'il ne proposerait jamais lui-même. Ni ici ni maintenant. Jamais, au grand jamais.

Ce n'est pas qu'il n'aime pas m'enculer. Je sais que si. Surtout parce que ce n'est pas quelque chose que je lui permets tout le temps, car je ne veux pas qu'il en prenne l'habitude. Je veux que ce soit spécial. Comme manger des truffes, des huîtres ou du caviar – si vous en mangez tout le temps, cela perd tout intérêt. Ce ne serait plus un luxe. Et l'enculage est le caviar des positions sexuelles.

Je pense que la nature nous a donné, aux hommes et aux femmes, plusieurs trous pour une bonne raison. Pour y mettre des trucs et en éjecter d'autres. Et j'entends tous les utiliser, sinon, je ne ferais pas bon usage de mon corps, ce serait du gâchis.

Une seule chose manque dans ce petit scénario que j'ai rêvé pour moi et Jack.

La lubrification.

Il n'y a pas de manière polie pour le dire: la bite de Jack est tout bonnement trop grosse pour mon cul.

La lubrification n'est pas seulement désirable, elle est nécessaire.

Formulons les choses ainsi.

Vous savez comment c'est, quand vous cherchez de nouvelles chaussures et que vous tombez complètement dingue d'une paire spéciale, d'un modèle et d'une couleur précis. Elles sont tout simplement parfaites pour vous et c'est comme si elles avaient attendu depuis toujours que vous les dénichiez. Mais la vendeuse revient vous dire qu'elle vient de vendre la dernière paire à votre pointure, et que la seule qui reste fait une taille et demie de moins que la vôtre.

Au diable la taille, vous êtes bien décidée à les essayer quand même, parce qu'il faut absolument que vous ayez ces chaussures et qu'il n'est pas question de repartir du magasin sans elles. Vous parvenez à vous y glisser à moitié sans trop d'efforts, mais ça coince après le cou-de-pied. Vous êtes à moitié dedans, à moitié dehors, et vous vous dites que ce n'est pas aussi petit que vous le pensiez. Que vous êtes arrivée jusque-là, et qu'un petit coup en plus suffira, vous pourrez entrer dedans, et puis le cuir finira par se faire. Il va se détendre et se mouler autour de votre pied et cette paire sera à vous.

Vous poussez donc encore un peu et vous réussissez à entrer d'un centimètre de plus, mais là, vous êtes vraiment coincée et c'est super douloureux. Peu importe dans quel sens vous bougez, vous ressentez une douleur fulgurante dans tout le pied, dans tout le corps. Et vous vous maudissez d'avoir été aussi avide et d'avoir oublié le sens commun qui vous soufflait pourtant que quelque chose d'aussi gros, ça ne pouvait raisonnablement pas entrer dans un trou aussi petit.

Si je ne suis pas bien graissée et disposée, c'est ce que j'éprouve quand je me fais enculer. Une chaussure qui ne me va pas. Ce qui ne veut pas dire que nous n'avons pas essayé.

Dans ce scénario, c'est Jack le pied et moi la chaussure. Et mon trou de balle souffre tant et sa bite paraît si énorme qu'il pourrait me mettre le pied dans le cul que ça serait pareil. C'est dire si ça fait mal.

Il est certain que ça va rentrer et moi certaine du contraire. La seule chose que je peux faire pour le convaincre, c'est de laisser échapper un cri à vous glacer le sang, comme s'il m'avait poignardée avec un couteau de boucher. Et là, il se retire. À toute vitesse.

Je suis sûre qu'il y a des femmes qui aiment cette douleur, qui voient cela comme une épreuve d'endurance. Je me dis que ce serait probablement le cas d'Anna.

Pas le mien.

Mais je me suis mis cette idée dans la tête, à présent. Je veux que Jack m'encule dans la maison de Bob DeVille, devant sa cheminée, sur sa peau de mouton. Cela paraît si délicieusement mal, et tellement bien en même temps. Et comme je connais le jeu de Jack, je suis déterminée à suivre.

Je me rappelle que Gena m'a dit qu'elle adorait les pâtisseries, et comme je suis sûre d'avoir vu une boîte de Crisco sur une étagère de la cuisine, je demande à Jack d'aller voir et d'en prendre un peu. Pendant qu'il est parti, je contemple le feu et les braises qui palpitent, et je suis hypnotisée par les flammes.

Il revient en rapportant la grosse boîte de cinq kilos et affiche un énorme sourire, comme s'il avait l'intention de tout utiliser. Comme s'il avait en tête de me faire un lavement au Crisco et d'envoyer une équipe de foot entière dans mon trou du cul. Et je lui dis : « Grand parleur... »

Il la pose à côté de moi, soulève le couvercle et en prend un peu sur deux doigts, me les montre et me dit :

« Ouvre bien. »

Je me mets à quatre pattes. Il s'agenouille à côté de moi, écarte mes fesses d'une main et étale le Crisco dans mon trou du cul avec l'autre. On dirait de la cold cream et je sens mon sphincter qui se rétracte avec le froid, puis se détend de nouveau sous ses doigts qui le caressent et le palpent pour le chauffer.

Je passe une main dans mon dos pour le branler. Une fois que je sens qu'il bande à nouveau, j'étale un peu de graisse le long de sa tige et je l'astique jusqu'à ce qu'il en soit aussi enduit que moi.

Il se place derrière moi, une main à plat sur mes fesses tout en me titillant la chatte du bout de sa bite graissée au Crisco. Elle glisse dedans sans la moindre difficulté ni friction. Il passe tout de suite en vitesse de croisière, prend le rythme et me donne ses coups de queue avec la précision régulière d'un piston. Ses mains m'enveloppent les fesses. Il m'incline quand il se redresse et nous nous retrouvons en position médiane.

Je pose les coudes à terre et monte le cul en l'air, et il me baise tellement dur et profond que je ne peux m'empêcher de pousser un long gémissement plaintif si violent qu'il retentit dans toute la maison. Même Sebastian l'entend, car, juste après, il se met à hurler dans le garage. Le chien et moi gémissons à l'unisson.

Le pouce de Jack caresse le pourtour de mon trou du cul pendant qu'il me baise, recueillant le Crisco et le poussant dans le trou, pour le tester, le dilater, et avant que je m'en sois rendu compte, il l'a enfoncé jusqu'à la jointure et je me referme sur lui comme une dionée sur sa proie.

Jack a le pouce dans mon cul et je le sens qui le fait tourner et coulisser, comme une clé dans une serrure qui n'arrive pas à accrocher. Je le sens qui tourne, encore et encore. Et dans une seule direction, à présent, dans le sens des aiguilles d'une montre, comme quelqu'un qui remonterait un mécanisme, comme si ce mécanisme c'était moi.

Je suis prête à passer à l'étape suivante, je tourne la tête, croise son regard et lui dis: «Je veux que tu m'encules, Jack. Que tu m'encules bien à fond.»

Il se retire de ma chatte, laisse claquer sa bite dessus, enduisant la tige de mon écume blanche et douceâtre, si bien qu'il est à point et assez lubrifié pour faciliter son entrée dans mon petit trou du cul serré. Il pose une main sur mes fesses pour se tenir tout en appuyant le gland sur mon trou de balle qui se dilate d'impatience. Le gland me semble si énorme quand il s'insinue en moi que je laisse échapper un cri.

Il est tellement énorme et à l'étroit dans mon cul, mais il s'enfonce lentement, bien profondément.

«Tu aimes sentir ta bite dans mon cul? je lui demande.

– C'est bon, gémit-il. Tellement serré.

– Je veux que tu dilates mon petit trou du cul serré, dis-je. Je veux avoir ta bite tout entière dans mon cul. »

Jack grogne de plaisir en s'enfonçant tout entier en moi avant de commencer à faire ses va-et-vient en ondulant des hanches. Jack danse sur mon cul et j'aime ça. Pas la danse des canards. Ni la danse du tapis. La bourrée.

Il m'agrippe fermement les épaules pour pouvoir s'enfoncer en moi à grands coups de butoir pendant que ses couilles trempées claquent sur ma chatte.

Et c'est tellement bon de me faire dilater le cul et sonder avec sa grosse queue épaisse qu'il m'emmène très haut. Je sens que je vais jouir. Je sens que je vais exploser.

Je lui dis : « Jack, je vais jouir. Je vais jouir. »

Et au même instant, je m'arc-boute sous lui et je laisse échapper un long hurlement de plaisir.

Je lui dis : « Maintenant je veux que tu me jouisses dans le cul, Jack. Je veux que tu me remplisses de ton sperme. Je veux sentir ton sperme qui ruisselle de mon cul. »

Lui dire des cochoncetés comme ça semble avoir l'effet désiré et le faire basculer. Je l'entends gémir pour indiquer qu'il va tout lâcher. Il me donne un dernier violent coup de butoir et la cartouche explose dans la culasse, son écume jaillit dans mon cul et me remplit. Il se retire lentement et je sens cette épaisse pâte blanche ruisseler de mon cul et s'accumuler sur ma chatte.

Nous nous enlaçons en cuiller devant le feu sur le tapis, lui derrière moi.

Et je me demande vraiment comment je pourrais trouver mieux. Jack, un vrai feu de cheminée, et moi enculée et crémée.

La conclusion parfaite d'un week-end parfait.

CHAPITRE 19

Je me regarde sur une photo accrochée au-dessus d'un lit. C'est une photo de moi avant. Je me reconnais à peine. C'est comme si je rêvais, mais les yeux grands ouverts.

Je suis debout, toute nue. Des coquillages couvrent mes tétons et une coquille d'huître recouvre mon sexe. Des nuages moutonnent au-dessus de ma tête comme des vagues. Des vagues moutonnent au-dessus de ma tête comme des dunes qui bougent avec le vent.

Je marche sur une plage. Des coquillages craquent sous mes pieds. J'ai beau faire attention, marcher à pas légers, ils se brisent et s'émiettent. Je baisse les yeux et je constate que ce ne sont pas des coquillages mais des os. Je marche sur une plage d'os. Je sens le goût du sel sur ma langue. Je sens les arêtes des os sous mes pieds qui s'enfoncent dans ma chair. Le sol de la plage est inégal et je ne tiens pas bien sur mes pieds, comme si je marchais sur des pavés déboîtés avec des talons aiguilles.

J'avance ainsi jusqu'à atteindre une allée de planches remplie de jeunes couples rayonnant d'amour. Ils marchent tous dans la même direction, et moi dans l'autre. Je progresse toute nue parmi eux. Ils me fixent au passage et je me sens exposée. Mais je garde la tête haute et je continue d'avancer.

Je marche jusqu'au bout des planches, où des hommes nus portant des masques de carnaval attendent en rang le long de la balustrade, en tripotant leur bite raide. Ils attendent que j'arrive. Et je ne veux pas les décevoir. Je me mets à quatre pattes et je hausse les fesses en frétillant du cul, comme s'il flairait l'air, pour leur faire comprendre que je suis prête.

Le premier s'approche. Il met ses mains sur mes hanches, s'agenouille derrière moi et enfonce sa bite tout au fond de ma chatte, jusqu'à la garde, puis se retire lentement jusqu'à ce que je sente le bout de sa bite qui titille mon trou et se prépare à y plonger à nouveau. Il commence à me baiser à longs coups violents. Ses couilles claquent sur mon clitoris et c'est tellement bon que je halète et griffe le sol.

Jack marche sur la promenade bras dessus, bras dessous avec Anna. Il ne me remarque pas. Il passe juste devant moi, devant les hommes qui se branlent en attendant que vienne leur tour de me baiser. Il s'arrête à cinq ou six mètres de là et s'adosse à la rambarde, appuyé sur les coudes. Anna s'agenouille devant lui, baisse sa braguette, glisse sa main dedans et en sort le pénis de Jack. Elle tient la hampe entre ses doigts en effleurant le gland du pouce, comme je la tiendrais, moi, lèche le long de la tige, comme je la lécherais, moi, pose les lèvres sur le gland et l'enfonce lentement dans sa bouche sur toute sa longueur. Anna suce la bite de Jack comme je le ferais, moi. Je regarde la bite de Jack dans la bouche d'Anna et j'imagine que c'est sa bite dans ma chatte.

Et je veux que Jack lève les yeux et me voie me faire baiser comme ça, à quatre pattes, par l'inconnu au masque de carnaval. Je veux que Jack sache que je l'imagine en moi. Comme les hommes dans mes rêves, je veux qu'il m'accepte telle que je suis. Pour que nous puissions être ensemble.

Je me réveille en sursaut, comme tirée d'un affreux cauchemar. Jack est allongé à côté de moi dans le lit, endormi, et je l'agrippe, l'enlace, l'entends bouger doucement et sens sa chaleur s'insinuer en moi. Je me sens en sécurité, réconfortée et désirée. Mais je veux davantage.

Je laisse courir mes mains sur sa poitrine, son ventre, je glisse mes doigts dans ses poils pubiens en effleurant du majeur la base de son sexe. Je le caresse doucement jusqu'à ce que je le sente durcir sous mon doigt, puis je descends encore la main et j'empoigne sa bite, épaisse, charnue et à moitié dure. Je caresse la base avec le pouce et je contourne la hampe. Je le sens durcir sous ma main, puis sa queue se dresse, prête pour l'action. Je la lâche pour me lécher la paume et bien la mouiller de salive, puis je reprends sa bite en main. Alors que je le branle et l'enduis de salive, je l'entends qui gémit, excité dans un demi-sommeil.

Je veux la bite de Jack en moi. J'en ai une furieuse envie et je me fiche qu'il soit réveillé ou pas. Je passe une jambe pardessus lui, je sens sa bite qui frôle ma cuisse, et je me redresse pour l'enfourcher. Une main posée sur sa poitrine pour me retenir, je baisse les yeux et le vois entrouvrir les paupières au moment où je passe la main derrière moi, empoigne sa bite et la maintiens le temps de m'empaler dessus. Je recule et me baisse lentement sur lui. Il laisse échapper un petit geignement ensommeillé et satisfait. Ma chatte s'ouvre pour l'accueillir, et je mouille de plus en plus.

À présent, il est conscient et bien installé au fond de moi. Il commence à rouler des hanches. Sa bite frotte en moi. Je suis son rythme, à califourchon sur lui, et je fais pivoter mes hanches dans le même mouvement que lui, comme si nous étions deux rouages d'une machine. Je me penche sur lui et il bouge avec moi, plie les genoux et se cambre pour pouvoir s'enfoncer encore plus profondément en moi. Je résiste pour sentir sa bite qui va et vient dans ma chatte brûlante et trempée.

« Baise-moi, Jack, lui dis-je. Vas-y, plus fort. »

Et il obéit, me pilonne deux fois pour me prouver sa puissance, puis il s'installe dans un rythme calqué sur le mien. Il veut me donner du plaisir. Je pousse un gémissement satisfait, prononce son prénom dans un souffle et enfouis ma tête dans l'oreiller, l'étouffant avec mes seins. Je glisse mes doigts dans ses cheveux et attire sa tête contre mes seins pour sentir son haleine brûlante et sa bouche qui cherche mon téton.

Il engloutit mon sein. Il l'aspire et je sens durcir et gonfler mon téton qu'il agace de la langue, tire avec les lèvres et mordille doucement.

Il saisit mes seins et les rapproche pour les lécher, les suçoter et les mordiller, l'un après l'autre, puis les deux en même temps. Maintenant qu'il en a eu un avant-goût, il est affamé. Il dévore mes tétons tout en me pilonnant. Je sens que je commence à jouir. Et je veux qu'il le sache.

Je lui dis : « Jack, je vais jouir. Je vais jouir. »

Je me redresse, pose la main sur sa poitrine et engloutis sa bite pour le sentir au plus profond de moi quand je vais jouir.

Je m'empale jusqu'à ce qu'il soit entièrement en moi et que je sente ses couilles appuyer sur mes fesses. Son souffle s'accélère, il gémit et je sais qu'il est lui aussi sur le point de jouir. Alors j'accentue et ralentis le mouvement circulaire de mes hanches. Il accompagne mon mouvement, respire à mon rythme et gémit avec moi. Nous sommes tous les deux au bord de l'orgasme et je veux l'y entraîner. Je sens que je jouis et je veux qu'il le sache.

« Je jouis, Jack, je jouis. Je jouis. »

Et j'ai à peine eu le temps de prononcer ces paroles que je jouis.

Je me cabre et m'agite sur lui tandis que l'orgasme déferle en moi, et mon pelvis donne de puissants petits coups tout au long de sa bite. C'en est trop pour lui aussi. Il pousse un long gémissement sonore et jouit en moi. Je sens sa bite qui tressaute tandis qu'il me remplit. Il frémit encore, puis il retombe dans un dernier sursaut. Et je m'effondre sur lui, sur sa poitrine qui vient à la rencontre de la mienne alors que nous reprenons tous les deux notre souffle.

Je roule sur le flanc. Il se tourne lui aussi face à moi. Je le serre contre moi. Nous restons allongés, épuisés. J'écoute sa respiration, je l'entends ralentir et devenir plus sourde et je sais qu'il est endormi.

Je suis allongée dans le lit, songeant aux endroits où je suis allée, à ce que j'ai vu et à la manière dont je suis devenue celle que je suis. Et je me rends compte de quelque chose que j'ai toujours su, mais que je croyais évident :

La moitié du sexe, c'est ce qu'on rêve.

CHAPITRE 20

Je suis assise en cours, à ma place habituelle, juste en face de Marcus, et il parle de la scène qui constitue le sommet de *Sueurs froides*, celle où Lucie vient de révéler son secret à Scottie: elle et Madeleine, la blonde morte dont il s'est épris, ne sont qu'une seule et même personne. En lui avouant cela, elle le tire brusquement de sa rêverie et le force à affronter la vérité de sa réalité: il est consumé par une illusion depuis le début. Marcus déconstruit le dernier plan, celui où Scottie est au sommet du clocher où se tenait Lucie/Madeleine. Il a vaincu son vertige et s'est aventuré sur la saillie, mais à présent, il fixe l'abîme. Il a les yeux rivés sur l'endroit où son obsession à lui l'a conduit; sur les toits où elle est morte fracassée.

J'ai l'impression que nous avons étudié ce film au moins une centaine de fois, Marcus ne cessant d'y revenir à tout bout de champ. Il est tellement obsédé par *Sueurs froides* que je crois qu'il pourrait en parler toute la journée, dans tous ses cours, et continuer à y trouver quelque chose de nouveau et d'intéressant à dire. Sans doute parce que *Sueurs froides* contient tout ce que Marcus adore au cinéma. Tous les fétichismes et paraphilies dont on peut avoir envie ou besoin. Maintenant que j'en sais un peu plus sur Marcus, grâce à Anna, je comprends pourquoi.

Je suis également plus sûre que jamais d'une chose : tout comme Scottie, Marcus est obsédé par les blondes, celles qui ne peuvent conduire un homme qu'à sa ruine. Marcus est obsédé par Anna.

Je me dis que l'influence d'Anna doit se faire sentir sur moi aussi, car je me surprends à m'habiller de plus en plus comme elle. Pas simplement comme elle, mais avec ses vrais vêtements. Je porte son débardeur à moitié transparent et à large décolleté qui découvre mon soutien-gorge. J'ai demandé à Anna de me le prêter, sans même savoir s'il m'irait. Et je porte ses collants en Lycra imprimé léopard, et ses sandales à talons aiguilles – le genre de *look* qui fait comprendre à un homme : je suis prête à te bouffer. Même Jack m'a regardée bizarrement ce matin quand je suis sortie de la salle de bains habillée et prête à partir, car il ne m'a jamais vue avec ce genre de vêtements. Quand il m'a dévisagée, je me suis demandée si mon intérêt amoureux pour Marcus n'allait pas un peu trop loin.

À présent que je suis là, j'ai juste l'impression d'avoir fait beaucoup d'efforts pour rien, car Marcus m'ignore comme d'habitude. Il parle de Scottie qui tient à ce que Lucie s'habille exactement de la même manière que son double défunt, Madeleine ; les mêmes vêtements, coiffure et couleur de cheveux identiques. Je m'habille comme Anna pour Marcus, mais ça ne marche manifestement pas et ça ne le fait clairement pas bander. Maintenant que je sais que Marcus a un faible pour les blondes, je me demande si je ne devrais pas tout bonnement aller jusqu'au bout et me décolorer, de façon à être au plus près d'Anna sans pour autant être vraiment elle. Je vois bien que Marcus ne bande pas pour moi, parce qu'il porte aujourd'hui encore son pantalon de costume marron.

Marcus nous dit que tout ce que nous avons besoin de savoir sur Hitchcock, l'homme, est contenu dans les films qu'il a réalisés, et je pense que c'est un peu comme quand on dit que l'habit fait le moine. Je déconstruis la signification du pantalon de costume marron de Marcus – ce pantalon qu'il porte toujours – pour essayer de parvenir à comprendre ce qu'il est vraiment au fond. Et je me demande si c'est le seul pantalon qu'il a ou si l'armoire, quand il ne s'y enferme pas en attendant qu'Anna arrive, ressemble au placard de Mickey Rourke dans *9 semaines ½*: rempli d'innombrables exemplaires des mêmes vêtements. La même chemise en coton blanc à col Mao qu'il porte toujours aussi, et ce pantalon, qui lui moule l'entrejambe et le cul, légèrement évasé en bas. Le genre de pantalon qui n'est plus à la mode depuis la fin des années soixante-dix.

Je me demande s'il écume les friperies pour trouver exactement ce modèle, avec ces mesures précises. Celui qui maintient bien son paquet tout en l'exhibant en même temps. Puis je songe que si Marcus a conservé les vêtements de sa mère dans un état impeccable depuis tout ce temps, il est plus probable qu'il les a achetés neufs ou quasi neufs.

Marcus doit avoir entre quarante et cinquante ans, et quand je fais le calcul – et cela peut sembler étrange que je fasse des calculs en cours de cinéma, mais je suis obsédée par tous les faits et chiffres ayant trait à Marcus, je suis obsédée par sa personne, en centimètres et en kilos – il me semble qu'il a dû commencer à s'habiller comme ça à l'époque de sa puberté, vers douze treize ans. Ou peut-être quelques années plus tard, s'il était moins précoce.

Ce pantalon était déjà sans doute démodé à l'époque. Je me dis donc qu'il doit y tenir pour une raison sentimentale. Que c'est peut-être le pantalon que son père portait et que, lorsqu'il l'a mis pour la première fois, il a eu la sensation d'être un homme, d'être comme son père, et la certitude de ne plus vouloir s'habiller autrement.

Je n'ai aucune certitude sur ce point, mais je me dis que quelqu'un qui a un complexe d'Œdipe aussi prononcé que Marcus doit aussi avoir des problèmes avec l'image du père, qui était absent de son enfance affectivement ou physiquement, ou les deux. Et cela me fait un peu de la peine pour lui; je regrette de ne pas pouvoir monter sur l'estrade, le serrer dans mes bras et lui chuchoter gentiment à l'oreille que tout ira bien. Cela n'arrivera jamais, car Marcus a toujours l'air tellement sérieux et inabordable en cours.

Assise dans l'amphi en écoutant Marcus, je garde un œil sur la pendule, car j'attends l'arrivée d'Anna. Elle est en retard pour le cours, comme toujours. J'attends que la porte s'ouvre afin de pouvoir commencer à tenir un journal des moments où elle fait sa grandiose entrée, et voir s'il y a une certaine régularité. Marcus a commencé depuis quarante-trois minutes et trente-deux secondes son cours d'une heure qu'il parvient toujours à terminer quasiment à la seconde où la cloche sonne. Il a traité de toutes les paraphilies appropriées au sujet et passe maintenant aux fétichismes.

Je jette un autre coup d'œil à la pendule au-dessus de la porte. Nous sommes à cinq minutes de la fin du cours et Anna n'est toujours pas arrivée. Elle doit essayer de le pousser à bout, cette fois, en attendant jusqu'à la toute dernière minute. Elle a vraiment envie de faire chier Marcus.

Je fixe mon attention sur l'aiguille de la pendule qui remonte petit à petit jusqu'à l'heure dite, sur la porte que j'attends de voir s'ouvrir. J'entends la voix de Marcus, mais pour une fois, je n'écoute pas vraiment. Les secondes s'égrènent. La tension est insupportable. Je suis assise sur le bord de mon siège, comme j'imagine qu'ont dû le faire les gens lors de la sortie de *Sueurs froides* dans tous les cinémas du pays et qu'ils ont regardé Scottie poursuivre Lucie dans l'escalier de ce clocher depuis lequel elle va faire une chute mortelle.

Et la cloche sonne. Pas dans le film, dans l'amphithéâtre. L'heure est terminée, Anna n'est toujours pas là, et je ne comprends pas pourquoi. Elle est peut-être toujours en retard, mais elle n'a jamais manqué un cours. Pas une seule fois. Ce n'est pas du tout son genre.

Les étudiants commencent à ranger leurs affaires et à filer dès l'instant où ils entendent la cloche, comme les gens qui sont incapables de rester assis dès qu'un avion a atterri et se lèvent avant que le signal « attachez vos ceintures » se soit éteint. Je reste à ma place, sans bouger, le stylo prêt à prendre des notes sur mon bloc de papier jaune, qui porte une série de chiffres dans le coin supérieur droit que je me rappelle avoir écrits, mais dont j'ai oublié la signification. Je me demande pourquoi Anna n'est pas venue en cours et où elle pourrait bien être. Je pense à tout cela jusqu'à ce que tout le monde ait quitté l'amphithéâtre et qu'il ne reste plus que Marcus et moi.

Marcus est en train d'essuyer lentement sur le tableau blanc les termes qu'il a utilisés pour illustrer son cours, comme s'il effaçait toutes les traces de ses obsessions sexuelles. Il le nettoie de tous les mots que j'aime l'entendre prononcer.

Scopophilie, l'obsession de regarder.

Rétifisme, le fétichisme des chaussures.

Trichophilie, le fétichisme des cheveux.

Quand le tableau est propre, Marcus se tourne vers son bureau, ramasse ses notes, les rassemble sous son bras et lève le nez. Il lève le nez et me regarde. Et je me rends compte que c'est la première fois qu'il m'a jamais regardée. La première fois que je croise son regard et que je le fixe droit dans les yeux. J'éprouve soudain de la honte et de la gêne parce que je porte ces vêtements que j'ai empruntés à Anna et qui ne me vont vraiment pas du tout.

Marcus me jette un regard interrogateur et je dis :

« J'attends Anna.

– Qui ? » demande-t-il.

Et je ne sais pas s'il blague, mais je ne vois pas Marcus faire de l'humour. Trop passionné, trop intellectuel, trop absorbé dans ses pensées. L'autre chose avec Marcus, c'est qu'il n'y a pas moyen de déchiffrer ce qu'il éprouve, ce qu'il pense, d'après son expression ou son intonation. Il ne laisse rien paraître. C'est dire à quel point il est fermé et mystérieux et pourquoi il m'obsède tellement.

« La fille blonde, je dis, qui est assise derrière moi. Anna. »

Puis je sors en bafouillant tout ce qu'elle m'a raconté, parce que je suis tellement mal à l'aise de me retrouver là, devant Marcus, et lui qui me parle et moi qui lui parle. Je lui dis tout ce que je sais. Sur les visites d'Anna, l'appartement, l'armoire, les vêtements de sa mère.

C'est la première fois que j'ai une conversation avec Marcus, nous n'avons jamais échangé plus de quelques mots et je veux qu'il sache que je sais. Je veux qu'il sache que sa petite perversion ne me gêne pas du tout. Et non seulement qu'elle ne me gêne pas, mais que je la comprends. Et puisque je la comprends, que nous avons quelque chose en commun. Et que s'il apprécie Anna, il devrait m'apprécier aussi.

Il m'écoute et ne prononce pas un mot. Il me laisse parler, me laisse aller jusqu'au bout sans m'interrompre, et je suis au paradis, parce que je parle vraiment à Marcus, je ne me contente pas de le regarder et de rêver. C'est comme si on m'avait accordé un rendez-vous en tête à tête avec la pop star que j'idolâtre depuis mon enfance, sur qui j'ai fantasmé, avec qui j'ai eu des conversations imaginaires et sur qui je me suis masturbée. Et à présent il est là, devant moi, il n'y a que lui et moi, et nous bavardons, nous communiquons – du moins, c'est l'effet que ça me fait, même si je suis la seule à parler – et tout ce que je dis sort, dans un souffle, d'un trait, et pas nécessairement dans le bon ordre. Mais quand je suis certaine d'avoir tout dit sans rien omettre, je m'arrête.

Il m'observe avec une étrange expression à mi-chemin entre la moue fâchée et le sourire. Je ne sais pas s'il est en colère ou amusé. Il me dit :

« Je n'ai absolument pas la moindre idée de ce que vous me racontez. »

Puis il prend ses affaires et sort de la salle sans un mot.

Toutes mes illusions sur Marcus ont volé en éclats. Peut-être qu'il n'a jamais été ce que je m'imaginais. Peut-être qu'Anna a inventé tout ce qu'elle m'a raconté sur lui pour alimenter mes fantasmes. Pourquoi aurait-elle fait ça ? Je ne sais plus du tout où j'en suis.

Depuis le début, j'ai cru que Marcus était mon talon d'Achille. Mais je me trompais.

Ce n'était pas Marcus, c'était Anna.

Anna est mon talon d'Achille, la blonde fatale que je serais prête à suivre jusqu'au bout du monde.

Anna est partie. Et je me rends soudain compte que je ne la connais pas vraiment. Je sais très peu de choses sur ce qu'elle est, d'où elle vient. Je sais seulement ce qu'elle m'a raconté et ce qu'elle signifie pour moi.

En fin de compte, combien de gens nous connaissent véritablement ? Combien connaissent notre quotidien : où nous allons, qui nous voyons, ce que nous faisons ? Si quelque chose devait arriver, si nous devions brusquement disparaître, qui saurait où chercher, à qui demander, qui appeler ? Les amis

– même ceux que vous considérez comme des proches, ceux avec qui vous êtes convaincu de partager des liens profonds et solides – ne le sauront probablement pas. La famille, sans doute encore moins.

Plus j'y pense, plus je suis paniquée, car j'ai envoyé des textos et je l'ai appelée, et elle n'a ni décroché ni répondu ni rappelé – cela aussi, ça ne lui ressemble pas. On dirait qu'Anna a disparu sans laisser la moindre trace. Presque comme si elle n'avait jamais existé. Je connais seulement trois personnes pour prouver le contraire.

Marcus.

Bundy.

Kubrick.

Pour des raisons qui m'échappent un peu, Marcus a nié connaître intimement Anna et même savoir tout simplement qui c'est.

Bundy a foutu le camp.

Il ne reste plus que Kubrick.

Je donne au chauffeur du taxi l'adresse de la Fuck Factory pour autant que je m'en souvienne, et je lui indique comme je peux le chemin pour y arriver. Il me regarde l'air de dire : vous voulez vraiment aller là-bas ? Personne n'y va. Mais quand je saute sur la banquette, il met quand même son compteur en marche, parce qu'une course, c'est une course, et qu'il préfère la prendre plutôt que de la laisser à un autre.

Nous roulons dans les environs et tout me semble totalement différent de mon souvenir. Rien n'est comme la dernière fois. Et ce n'est pas seulement parce que nous sommes dans l'après-midi et que tout change en plein jour. Ça n'a pas du tout l'air du même quartier. Ce que je me rappelais comme des bâtiments délabrés, ce sont en fait les charpentes de maisons restées en chantier. Je fais arrêter le chauffeur à trois ou quatre endroits qui me paraissent vaguement familiers pour pouvoir descendre et chercher le graffiti qui indique l'endroit où se trouvait la Fuck Factory. Il n'y a rien.

Je vérifie qu'il n'a pas été dissimulé par une couche de peinture, ou bien effacé. Je ne vois rien non plus de ce genre. Les escaliers qui descendent sous la rue se ressemblent tous et je ne vais pas les prendre au hasard en espérant tomber sur la bonne porte. Alors je finis par me résigner à l'idée qu'il y a eu une descente de police à la Fuck Factory depuis le moment où j'y suis venue. Même si cela ne remonte pas à si loin.

La Fuck Factory a disparu sans laisser de trace, tout comme Anna.

À présent, il ne me reste plus qu'une possibilité.

Il faut que je trouve Bundy.

La seule personne qui me vient en tête et qui pourrait savoir où est Bundy, c'est Sal, le barman du Bread & Butter.

Quand le taxi se gare devant, le rideau de fer est baissé. Je tambourine dessus de toutes mes forces. Une voix de caïd ronchon beugle depuis l'intérieur :

– On est fermé.

Malgré le peu de relations que j'ai eues avec Sal la dernière fois que je suis venue ici, je sais que ça ne sert à rien de discuter avec lui de part et d'autre du rideau. Qu'il préférera m'insulter bien en sécurité dans son bar plutôt que de m'aider de quelque manière que ce soit. Je tambourine donc de plus belle.

« On est *fermé.* »

Il a déjà l'air irrité.

Je continue de taper, plus longtemps, cette fois, comme si je n'avais rien entendu.

Un judas s'ouvre dans le rideau et la trogne grisonnante de Sal apparaît.

« Qu'est-ce que tu veux, merde ? T'es sourde ? Tu vois pas qu'on est fermé ? »

C'est moins une série de questions que d'accusations et de menaces.

« Bundy, dis-je. Où il est ?

– Pourquoi tu veux savoir ?

– Je cherche notre copine, lui dis-je. L'amie de Bundy. Anna.

– Oh, celle-là », dit-il. Blondie.

À ces mots, sa voix se radoucit, son visage se radoucit, toute sa personne se radoucit. Et je me dis : Oh, Anna, tu n'as pas...

Le visage de Sal disparaît dans la pénombre et c'est comme s'il se volatilisait tel le chat du Cheshire. Puis il tend sa main à l'extérieur.

Je pose un billet de dix dedans. Elle se retire comme ces tirelires mécaniques. J'attends qu'il réapparaisse. C'est sa main que je vois de nouveau sortir.

Je me dis quel grippe-sou. Sal est le genre de gars à cracher dans votre verre s'il estime que vous ne lui avez pas laissé un pourboire suffisant. Je ne crois pas que je reviendrai jamais dans son bar, mais au cas où, je sors à contrecœur un autre billet de dix que je pose dans sa paume. Elle disparaît de nouveau dans l'ouverture.

J'attends qu'elle ressorte. La voix de Sal résonne dans l'obscurité et décline l'adresse de Bundy. Je la répète mentalement pour la graver dans mon cerveau.

« Fais un bisou à Blondie de ma part », lâche-t-il pour finir.

Il claque le judas. Je tressaille.

Je commence à avoir peur pour Anna. Où est-elle ? Elle était là, et le lendemain, plus la moindre trace. À présent, il faut que je ravale ma fierté. Il faut que j'aille voir Bundy.

Bundy n'est pas surpris de me voir. Il est juste déçu que je ne sois pas venue plus tôt. Pour qu'il puisse donner à quelqu'un sa version de l'affaire.

« Je n'ai rien à voir avec ça. Je jure que je n'ai pas tué ces filles. »

C'est la première chose qu'il déclare en m'ouvrant la porte de son appartement. Sa voix se brise quand il me dit ça. Le monde de Bundy s'est écroulé et c'est une épave. Le ministère de la Justice a saisi tous ses noms de domaines, fermé les sites, jusqu'au dernier, et lancé une enquête fédérale pour incitation à la débauche et racket. Son gagne-pain a disparu et sa réputation est en lambeaux.

Sa situation ne m'intéresse pas, je veux seulement savoir ce qu'est devenue Anna.

– Bundy, dis-je, où est Anna ?

Comme il ne répond pas, je suis bien obligée d'entrer.

Il faut voir l'appartement de Bundy pour le croire. Il gagne des fortunes, mais il est trop radin pour dépenser de l'argent pour autre chose que le studio dans lequel il a toujours habité. Il déborde de tellement de trucs qu'on peut à peine bouger, et franchir le seuil.

Il me fait entrer et m'invite à m'asseoir.

Je regarde autour de moi et ce n'est pas qu'il n'y ait rien sur quoi s'asseoir – comme dans la description que m'a faite Anna de l'appartement de Marcus –, c'est juste que tout est recouvert de trucs. DVD, magazines, bandes dessinées, jouets, sous-vêtements sales. Il y a des plats tout préparés entamés, des cartons de pizza ouverts avec le tour de la croûte totalement intact, comme si on avait réussi à la manger depuis le centre vers l'extérieur.

Comme je n'ai pas l'intention de rester ni la moindre envie d'être ici, je dis :

« Ça va, je peux rester debout. »

Je m'appuie contre le mur et le sens céder sous moi, avant de me rendre compte que ce n'est pas une partie du mur mais un entassement du sol au plafond de ces boîtes en carton blanc qui servent à emballer les plats chez le traiteur chinois.

Cela fait moins d'une semaine que l'affaire a été dévoilée par Forrester Sachs, Bundy ne se terre ici que depuis trois ou quatre jours. Il ne peut pas avoir mangé tous ces plats en si peu de temps. Sauf si l'angoisse le rend boulimique. Mais comme Bundy est quand même un petit peu rondouillard, c'est difficile de dire s'il a grossi. Je songe que Bundy fait partie de ces éternels adolescents qui ne perdent jamais leur gras de bébé, sauf que cela devient de moins en moins mignon avec les années.

Des casquettes de base-ball qui portent encore leurs étiquettes et des boîtes d'espadrilles qu'il n'a jamais portées ni même ouvertes sont empilées çà et là. Bundy me dit qu'il porte une paire d'espadrilles neuves chaque jour et qu'il jette celles de la veille à la poubelle comme si c'étaient des papiers de bonbons. Il ajoute que c'est son seul vice. Je soupçonne cependant que la seule vraie raison que l'on peut avoir à porter une nouvelle paire de chaussures chaque jour, c'est un déplorable manque d'hygiène.

Soudain, je comprends pourquoi ça sent aussi mauvais ici. L'odeur ne vient pas de la pizza moisie et des restes de plats chinois, mais des pieds pourris de Bundy. C'est le genre d'odeur vraiment difficile à masquer et qui semble s'accrocher à tout, comme l'odeur de vomi. Cela sent tellement mauvais dans l'appartement de Bundy que j'essaie de respirer par la bouche. Je veux sortir d'ici aussi vite que possible, mais Bundy estime que son malheur est si grand qu'il tient à me raconter toute sa vie, depuis le début jusqu'à aujourd'hui. Depuis même avant sa naissance. Depuis le jour où ses parents ont décidé du nom qu'ils lui donneraient.

Bundy est assis en tailleur par terre, comme un enfant boudeur qui s'amuse avec ses jouets.

«Je ne suis pas quelqu'un de mauvais, insiste-t-il. J'ai juste été fait comme ça.»

Il dit cela tout en enfonçant distraitement une poupée Chewbacca dans un vagin artificiel.

L'appartement de Bundy est rempli de jouets – des peluches et des *sextoys* – et pour lui, c'est la même chose. Deux nounours à quatre pattes, cul à cul, sont l'un et l'autre fendus à l'arrière pour accueillir un double gode qu'on a enfoncé de force dans le rembourrage. Un Télétubby porte un gode-ceinture en guise de masque. C'est comme si Bundy avait essayé de faire passer ses obsessions à l'étape supérieure et qu'il était resté coincé côté branlette à mi-chemin entre l'adolescence et la vingtaine, mais qu'il avait fini désespérément infantilisé, tout en sexualisant de manière compulsive et obsessionnelle tout ce qui est à sa portée et qui était jusque-là propre et pur.

Il a accroché au mur un poster grandeur nature de Britney Spears vêtue d'un mini-short déboutonné, les mains sur les hanches comme pour s'apprêter à le baisser, d'un t-shirt ultracourt en coton blanc qui a l'air coupé exprès pour souligner la courbe de ses seins, le tout avec un regard qui dit: Tu sais que tu as envie de me baiser, mais ne t'y avise pas.

C'est Britney Spears à ses débuts, quand elle était le fantasme de tous les hommes; l'allumeuse blonde américaine chaude bouillante. Et avant qu'elle ne brise un million de cœurs masculins en leur rappelant la petite copine psychopathe qu'on préférerait ne jamais avoir connue, et encore moins enfilée.

Bundy préfère manifestement la Britney fantasmée à la Britney réelle et il a procédé à d'autres modifications afin qu'elle se conforme encore mieux à son image de la femme parfaite. Il a customisé le poster avec des bouts de corps découpés dans des magazines pornos. Britney Spears a une chatte à la place des lèvres et un sexe en érection qui jaillit de son short. Pas n'importe quel sexe. Une énorme bite noire qui a presque la taille de sa tête. Je regarde la Britney améliorée et accessoirisée de Bundy, et je me dis que c'est vraiment un grand malade mental. Je balaie la pièce du regard pour voir s'il n'a pas de pornos avec des travelos, car je suis prête à parier n'importe quoi que c'est son trip, puis j'y renonce, parce que c'est presque impossible de distinguer quoi que ce soit dans tout ce bordel.

Il possède également une grosse collection de poupées Guerre des étoiles alignées sur le manteau de la cheminée, mais seulement des wookiees. Il ne s'intéresse à rien d'autre qu'aux wookiees. Bundy me précise qu'il a toujours adoré les wookiees. Il pense que c'est pour la même raison qu'il aime seulement les femmes qui ont gardé une toison pubienne naturelle, les femmes qui ne la rasent jamais.

Bundy déclare que la raison pour laquelle il est tellement obsédé par les pipes – « s'en faire tailler une, pas le contraire », prend-il la peine de préciser –, c'est que la fille ait les poils rasés ou non n'a aucune importance. Parce qu'il n'arrive jamais aussi loin.

Pour lui, le plaisir oral le protège de la déception pileuse. Mais l'inconvénient, c'est qu'il reste perpétuellement insatisfait sexuellement.

Bundy épanche tous ses malheurs sur moi, sa vie sexuelle, les défauts de sa personnalité, et je ne veux plus en entendre davantage. Je veux lui dire combien j'ai été fâchée en recevant de l'argent après ma visite à la Juliette Society.

« Tu m'as piégée », dis-je.

Je sens que j'enrage, pourtant je ne veux pas le lui montrer. Je ne veux pas lui donner le plaisir de voir qu'il m'a énervée.

« Piégée, comment ? demande-t-il. Avec Anna ?

– L'argent, pour la fête.

– Quelle fête ?

– La Juliette Society, réponds-je, comme s'il l'ignorait.

– Qui ?

Je répète.

– La Juliette Society, Bundy.

– Je ne sais pas de quoi tu parles, soupire-t-il. Je n'ai jamais payé les filles. Je me contentais de prendre l'argent. »

Je suis désarçonnée, mais il faut que j'en vienne à la véritable raison de ma visite.

« Bundy, je suis vraiment inquiète. Où est Anna ?

– Je ne sais pas, dit-il. Je jure que je ne sais pas.

Tout comme il jure qu'il n'a pas tué les filles.

« Tu as fait la même chose à Anna ? demandé-je avec colère. Tu as essayé de lui extorquer de l'argent ?

– Jamais je ne ferais ça à Anna. Jamais je ne lui ferais du mal. J'adore Anna. J'ai tellement envie d'elle, larmoie-t-il. Je m'en fiche qu'elle se rase les poils ou pas.

Bundy m'explique qu'il a essayé de coucher avec Anna un tas de fois et qu'il a fait tout son possible pour l'impressionner. C'est la seule femme pour qui il ait jamais dépensé plus de dix dollars, en dehors de sa mère. Il lui a acheté des cadeaux, des bijoux. Mais Anna l'a toujours repoussé.

« Elle m'a dit qu'elle m'aimait comme un frère, ajoute-t-il, mais qu'elle préférait les hommes plus âgés. »

Bundy lève de grands yeux tristes vers moi implorant que je le console. Mais il n'y a pas grand-chose à répondre, parce que je sais précisément ce qu'elle voulait dire. Il n'est fou d'elle que parce qu'Anna lui a brisé le cœur. Et, en guise de coda à cette litanie de malheurs, il continue de répéter les deux mêmes choses, encore et encore, comme un disque rayé.

« Je ne l'ai pas tuée, dit-il. Et je n'ai pas tué ces filles.

– Je te crois, Bundy. (Et en disant cela, je me rends compte que je le crois.) Mais as-tu une idée, la moindre idée de l'endroit où elle pourrait être ? »

Et finalement, il crache le morceau.

« Il y avait cette soirée où elle allait... Tu la trouveras peut-être là-bas.

– Quelle soirée ? » demandé-je, méfiante.

Et avant même qu'il ait répondu, je me rends compte que je vais devoir y aller, et que je n'ai pas le choix.

CHAPITRE 21

Il fait nuit et je traverse le vaste terrain d'une grande villa à l'italienne – lieu de la soirée pour laquelle Bundy a organisé un service de voiturage, l'endroit où il affirme que je vais peut-être, juste peut-être, trouver Anna. C'est aussi la nuit qui précède l'élection de Bob et il y a tellement de boulot que Jack dort au QG de campagne.

Je suis un chemin qui serpente entre petits vallons et éminences. D'où que je sois, je peux apercevoir cette immense villa sur une colline, se découpant en ombre chinoise sur une pleine lune basse dans le ciel et à demi cachée par un gros nuage incapable de bouger parce qu'il n'y a pas de vent.

Il n'y a que ce sentier – il ne se divise pas et n'en croise pas d'autre – mais je ne vois personne devant moi, même quand le chemin devient bien droit, personne qui me suive. Il est identique tout du long: couvert de terre et délimité par des pierres, au-delà desquelles se dressent de gros buissons et des arbres parsemés de fleurs sauvages et d'orchidées aux couleurs si vives et lumineuses qu'elles semblent luire dans l'obscurité. Le chemin est éclairé par une étrange lumière ambiante sans aucune source apparente – le genre de demi-clarté sous laquelle tout semble s'animer – et qui ne va pas plus loin qu'à quelques pas de part et d'autre.

Je porte la même cape rouge que lors de la soirée *Eyes Wide Shut* et une paire de souliers plats noirs à brides, et j'ai l'impression d'être le Petit Chaperon rouge qui court retrouver Mère-grand. Le silence, l'immobilité, l'isolement et l'obscurité me terrifient. Je marche aussi vite que je peux en espérant que ma destination va apparaître au prochain virage. Mais cela n'arrive jamais.

Je me hâte, dans le noir, vers je ne sais où, et deux pensées ne cessent de tourbillonner dans ma tête :

Qu'est-ce que je fais ici ?

Foutu Bundy.

Je ne trouve pas assez de malédictions pour accabler Bundy, parce que je sais, *je sais*, et c'est tout, qu'il m'a encore piégée, mais je dois trouver Anna, je n'ai pas le choix. Je maudis le jour où Bundy est né, je maudis ses parents, je maudis ses tatouages idiots, son horrible bite et ses pieds qui puent. Je ne peux faire taire la voix dans ma tête qui devient si assourdissante et insistante que je dois m'assurer que je ne parle pas à voix haute. Encore qu'il n'y ait personne alentour pour m'entendre. Je tourne en rond dans ma tête et, de temps en temps, je tombe sur une réponse.

Anna.

Je suis ici pour trouver Anna.

Il faut que je trouve Anna.

Le simple fait d'y penser renforce ma détermination à atteindre mon but et je presse le pas.

Je suis tellement perdue dans mes pensées que j'oublie où je suis et cela atténue mon angoisse et ma terreur de marcher seule dans le noir, car même s'il n'y a pas âme qui vive, les environs grouillent d'une vie que je devine. Comme les bruits de la nature qui remplissent l'air quand vous traversez une forêt, même si vous n'en distinguez pas la source. Ce ne sont pas des bruits de forêt que je perçois, mais le murmure du sexe, le bourdonnement de la baise, les bruits du plaisir débridé. Rires, piaillements, grognements et gémissements. Des peaux qui claquent l'une sur l'autre. Et quand je scrute l'obscurité, de chaque côté du chemin, il me semble distinguer des membres emmêlés dans les branches, des corps penchés au-dessus des buissons, des fesses qui jaillissent des taillis, des silhouettes en rut dans la végétation. On dirait l'Éden avant la Chute, quand le sexe et la nature ne faisaient qu'un, primitifs, charnels et sauvages. La tentation m'entoure.

Bien qu'il semble que je me dirige vers la maison, je ne peux être certaine que ce soit là que le chemin mène vraiment, car parfois il retourne en boucle sur lui-même ou fait une série de zigzags. Il ne me faut pas longtemps pour commencer à ne plus savoir où je suis, où je vais, ni dans quel sens. Pourtant, j'aperçois toujours la haute tour fuselée et décorée de la villa, comme un phare ou un fanal, en point de repère.

J'ai l'impression de traverser la scène d'ouverture de *Citizen Kane*; ces fameuses premières images qui commencent de manière si inquiétante par un panneau DÉFENSE D'ENTRER pendouillant sur un grillage, avant un long et lent panoramique vertical sur d'autres clôtures, des balustrades, portails et rambardes – chacun plus décoré, plus imposant et menaçant que le précédent –, suivi d'une série de fondus enchaînés dans les ruines de Xanadu, la monumentale folie que Kane a édifiée en témoignage de sa fortune, l'imposante demeure gothique qui domine la propriété comme une pierre tombale.

Je pense à ces clôtures et ces portes comme à des barrières et des constructions de ma personnalité; celles que j'ai érigées tout au long de mon enfance et de mon adolescence pour me protéger du monde. Je suis tellement absorbée par ma propre vie que j'ai oublié que ces fortifications invisibles étaient là et qu'au lieu de me protéger, elles ne font que m'empêcher de regarder en moi, de voir qui je suis vraiment. Et à présent, je me rends compte que je ne veux pas traverser toute ma vie ainsi. Je ne veux pas finir comme Charles Foster Kane : affrontant la mort, mais en continuant de nier ce qui l'animait. Un homme hanté enfermé dans une demeure hantée, condamné à pourrir en même temps que sa propriété.

Cette propriété, celle que je traverse, est aussi délabrée que celle de Kane, cependant plus j'avance, plus elle devient capricieuse et excentrique. C'est une ruine faite pour apparaître comme une antiquité, mais construite pour leurrer l'archéologue qui tomberait un jour dessus. Je passe devant des bâtiments qui se dressent juste en bordure du chemin et paraissent d'une hauteur vertigineuse, mais quand je m'approche, je m'aperçois qu'ils sont bâtis selon une perspective faussée et que ce ne sont en fait que des façades tordues avec des volées de marches qui ne mènent nulle part. Je passe devant un amphithéâtre inachevé, avec des gradins mais pas de scène, et des rangées de colonnes surmontées de faces de démons et d'esprits. D'énormes statues de pierre effondrées se dressent au-dessus des cimes des arbres et des buissons – des géants, dieux, déesses, nymphes et autres créatures mythologiques – toutes occupées à une activité sexuelle quelconque ou à s'exhiber. Une tortue géante portant un phallus géant sur son dos. Un sphinx tenant ses seins dont les tétons laissent jaillir de l'eau. Un colosse en armure brandissant son monumental pénis gonflé comme une épée, prêt à vaincre ses adversaires.

Je songe que cet endroit a dû être construit par un financier disposant de ressources illimitées, en hommage à son imagination sexuelle démesurée. Puis, comme Kane, il est devenu impuissant avec le temps, l'insatisfaction ou la putréfaction, et a laissé sa création à la nature, qui a accueilli en son sein comme les siennes ces divinités de pierre, enveloppant ces personnages nus de mousses, lianes, racines et herbes folles.

J'ai l'impression que ces personnages m'observent, j'entends les bruits du sexe dans les arbres et les taillis et je me hâte sur le chemin, passe un virage, contourne un bosquet et débouche sur une petite avenue bordée d'arbres aux branches entrelacées formant une voûte. Elle conduit à un gros rocher encastré dans le flanc de la colline, sculpté comme un visage d'ogre – dodu et rond, avec une barbe, de petits yeux et une bouche qui n'a plus que quelques chicots inégaux. Elle me fait penser au graffiti de vagin pourvu de dents sur le mur devant la Fuck Factory. Là, c'est un vagin avec des dents, des yeux et des poils pubiens.

Une inscription est gravée sur sa lèvre supérieure et teinte en rouge comme un tatouage :

AUDACISSIME PEDITE[1]

La bouche de l'ogre est grande ouverte, comme s'il riait ou hurlait. Je ne saurais dire. Ou bien il hurle de rire à une plaisanterie connue de lui seul. L'ogre me regarde, il se moque de moi, comme s'il reconnaissait quelqu'un qui n'est pas à sa place ici. J'ai à moitié envie de courir me réfugier dans sa bouche, quoi que je découvre dans ces ténèbres, pour ne plus avoir à affronter son regard. Car c'est là que conduit le chemin, dans la bouche de l'ogre. Là qu'il finit. Il n'y a pas d'autre endroit où aller, sauf à rebrousser chemin et à repartir, mais je n'en ai pas l'intention. Il faut que je trouve Anna.

J'entends de la musique, un bruit de tambours et de flûtes. Elle semble sortir de la bouche de l'ogre.

1. Au promeneur audacieux.

Je balance entre angoisse et détermination, et je regrette qu'Anna ne soit pas là. Que ferait-elle ? Je connais déjà la réponse. Rien de tout cela ne la dérouterait. Elle s'engouffrerait gaiement à l'intérieur, parce que, pour elle, chaque expérience est une nouvelle aventure, un nouveau défi, une nouvelle frontière à franchir.

Le sexe murmurant me parle. Il dit : « Entre. » Alors j'obéis.

À l'intérieur, il fait si sombre que je trébuche sur un rocher presque aussitôt et manque de tomber la tête la première. Je tends les bras de chaque côté pour toucher les parois de la bouche et de la gorge de l'ogre. Elles sont si proches que je les plie au coude, mais je peux rester entièrement debout. Les parois sont froides et humides.

Je cherche mon chemin à tâtons, d'un pas gauche, jusqu'à ce que mes yeux s'habituent petit à petit à la faible clarté qui brille plus loin. J'arrive à un long escalier taillé dans le roc avec une rampe en fer forgé rouillée qui descend dans un réseau de grottes naturelles. La voûte de la chambre est affaissée comme le toit d'une tente sous une lourde pluie, et sa surface est couverte de longues stalactites filiformes, à la base rouge vif ou brune et à l'extrémité jaune et blanche, comme les épines d'un oursin géant. Des gouttes tombent des épines dans de petites flaques à la surface du rocher et résonnent autour de moi comme des cloches. Des ruisselets s'écoulent sous mes pieds et je dois me tenir à la rambarde pour ne pas glisser. Elle aussi est humide, comme si elle pourrissait. L'air vif sent le renfermé.

J'ai l'impression de descendre dans le ventre de la bête par le gosier de l'ogre, comme Jonas errant dans celui de la baleine. Je ne peux qu'aller de l'avant, où que cela me mène.

À présent, je vois le bas de l'escalier et je regarde derrière moi pour voir quelle distance j'ai parcourue. Apparemment, la moitié. Plus je descends, plus la musique enfle et accélère. On dirait un brouhaha de voix qui crient pour se faire entendre.

En bas des marches s'ouvre un couloir à peine assez large pour une personne, et je dois me baisser pour y pénétrer. Après une centaine de mètres, il débouche sur une plateforme donnant sur une vaste grotte, à partir de laquelle descendent des marches taillées dans le roc.

Je suis à mi-hauteur de la paroi de la caverne et, en face, à l'autre extrémité, une cascade naturelle jaillit par une profonde crevasse dans la voûte qui s'ouvre sur le ciel nocturne, et par laquelle brille la lune, éclairant la grotte d'une surnaturelle lueur argentée. Des torches accrochées aux parois apportent tout juste assez de lumière pour laisser deviner sur les parois une immense fresque peinte représentant le jardin que je viens de traverser, avec le chemin tortueux qui le parcourt et les mêmes statues de pierre que j'ai vues surgir des feuillages. Le sol de la grotte est couvert d'une mousse rose lumineuse qui brille à la lueur des torches comme de l'or bruni.

À la base de la cascade, l'eau se divise en deux ruisseaux qui dessinent une île. Sur l'île se dresse une petite construction de pierre ronde à colonnes, comme un kiosque à musique, ouvert sur un côté et éclairé par la lune. De part et d'autre de ce podium, plusieurs individus portant des aubes blanches et des têtes de personnages de bande dessinée surdimensionnées jouent d'un instrument – tantôt un petit tambour, tantôt de petites cymbales. Deux d'entre eux tiennent de longues flûtes en bois à l'extrémité évasée. La musique est si forte et si perçante qu'elle remplit l'espace d'une déroutante clameur de rythmes décalés et de sons dissonants que je sens résonner dans tout mon corps.

Sur le podium se dresse un trône tapissé de velours rouge et gansé d'or avec les pieds de devant sculptés en forme de lions.

Dessus est assise une silhouette voilée vêtue d'une ample robe blanche qui flotte tellement qu'il est difficile de déterminer son sexe. À ses pieds se trouve une femme, nue, avec des cheveux blonds, tout comme Anna, et j'ai un pincement de cœur en la voyant, mais je ne peux être sûre qu'il s'agit bien Anna, car elle est trop loin, agenouillée, la tête sur les cuisses du personnage voilé, dont la main gantée est posée sur son crâne, comme le ferait un prêtre pour donner à un paroissien l'absolution pour ses péchés.

Ceux que cette femme a commis sont manifestement graves, car elle a le dos sillonné de traces rouges qui paraissent douloureuses, et un autre personnage en aube se tient derrière elle en brandissant un fouet, prêt à lui assener d'autres coups. Je repense à la fois où Anna m'a montré les marques sur son poignet et combien je les ai trouvées horribles, et je me rends compte à présent que j'étais bien naïve. Ce n'était en fait rien du tout.

Cinq autres femmes nues, deux blondes, deux brunes et une rousse, sont agenouillées en demi-cercle en bas des marches menant à ce podium, face au trône, les mains sur les genoux et la tête baissée. Attendant leur tour.

La musique est si forte que je m'entends à peine penser, si forte que j'ai l'impression qu'elle efface lentement mon identité et la remplace par du son. Ce que je ne peux la laisser me dérober, c'est la raison de ma présence. Je dois trouver Anna. Je me le répète mentalement, encore et encore, comme un mantra.

Je commence à descendre lentement les marches et alors que j'atteins le sol de la grotte, je me rends compte qu'il n'est pas couvert de mousse, mais de corps ; une masse grouillante de corps qui copulent, de cheveux, de peau et de sueur. Ce tapis de corps recouvre presque entièrement le sol de la grotte et remonte le long des parois. Ils sont tellement emmêlés qu'il est impossible de les distinguer les uns des autres. Des têtes sont enfouies entre des cuisses et des bras. Des torses semblent pourvus d'innombrables membres. Des jambes surgissent d'épaules, des bras disparaissent entre des jambes et surgissent de ventres. Des seins sont munis de mains. Des pénis jaillissent de genoux pliés. Des bouches sont ouvertes dans l'extase ou remplies par un appendice quelconque. Et c'est comme s'ils avaient été entraînés par la musique dans une sorte de fièvre sexuelle.

Et moi qui pensais avoir tout vu en compagnie d'Anna – sur le site Web de SODOME, à la Fuck Factory. Je commençais à être blasée, pourtant je n'avais encore jamais assisté à rien de tel. Pas même au cinéma.

Je pose mes pieds avec précaution dans cette masse grouillante de corps et, dès lors, elle semble remarquer ma présence, se détacher et s'ouvrir pour former un chemin que je peux emprunter. Je me déplace entre ces corps et je me sens si gauche, tout en ayant en même temps la sensation de passer totalement inaperçue, car personne ne me prête la moindre attention, comme si je marchais dans une rue très fréquentée, un individu parmi une multitude, des centaines et des milliers, perdu dans la cohue et la foule.

Je lève les yeux vers le podium au moment où la fille se lève et tombe à la renverse dans cette masse mouvante de chair humaine. Son corps allongé et inerte est ballotté sur le sol de la grotte comme, lors d'un concert, lorsqu'un fan se jette dans la foule pour exécuter un slam. Des bras se tendent pour la toucher, l'entraîner et la tirer, d'autres pour la pousser en avant.

Cela me rappelle la scène d'ouverture de *La Horde sauvage*, dans laquelle les enfants assis au bord d'une route regardent une armée de fourmis rouges recouvrir et dévorer deux scorpions. Et ils contemplent l'affreux spectacle de ce sacrifice rituel avec délice, en excitant les bestioles avec des bâtons, en encourageant la cruauté sans en avoir conscience.

Je regarde horrifiée la blonde se faire engloutir par la horde, son corps disparaître dans la foule. Et ce n'est pas comme si je pouvais y faire grand-chose. Juste avant qu'elle disparaisse, je peux distinguer clairement son visage, suffisamment pour voir que ce n'est pas Anna.

Une autre fille se lève et prend sa place aux pieds du personnage voilé. Le fouet est levé et s'abat sur son dos avec une force et une vitesse terrifiantes. Son corps se tend sous le coup, ses épaules se redressent et elle se cambre. Sa tête s'incline et elle ouvre la bouche, comme un loup qui hurle à la lune, mais son cri est inaudible, car la musique couvre tout – le claquement du fouet, ses cris, la masse des corps autour de moi qui se convulse et baise –, tout sauf elle-même.

Les corps continuent de s'écarter devant moi et je suis désormais presque au milieu de la caverne, assez proche du podium pour distinguer les visages des filles et constater qu'aucune n'est Anna non plus. Celle qui est devant le trône a été tellement fouettée qu'elle a sombré dans l'inconscience et gît affalée aux pieds du personnage voilé.

C'est une étrange scène de baise. La plus bizarre qui soit. Beaucoup trop tordue pour moi. En cet instant, je veux juste m'enfuir de cet endroit, mais je ne peux pas. Je suis à la merci de cette marée de corps.

La musique pulse dans mes oreilles. Mon cœur bat si fort que j'ai l'impression que ma poitrine va exploser. Il bat si fort que je commence à paniquer et à haleter. Et il me faut toute ma volonté pour calmer ma respiration et me reprendre pour pouvoir décider quoi faire et où aller. À présent, il me semble que les corps ne s'écartent pas pour me laisser passer là où je l'ai choisi, mais plutôt qu'ils me conduisent, et que tant que je continuerai à marcher, ils me laisseront passer.

Très vite, je suis presque de l'autre côté de la caverne et j'aperçois une ouverture dans la paroi, une sortie, et je me rends compte que c'est vers cet endroit qu'on me dirige. Chacun de ces derniers pas est plus épuisant que le précédent. Puis finalement, je n'en peux plus et je saute par-dessus les derniers corps pour me mettre à l'abri.

Je me faufile par l'ouverture aussi vite que mes jambes me le permettent dans un étroit couloir éclairé par des torches ; je ne jette pas un regard en arrière jusqu'à ce que je sente la musique décroître et que je puisse de nouveau entendre l'écho de mes pas sur le sol. Le couloir se divise en deux, puis en trois. Je ne sais pas vraiment où je vais. Je continue dans la même direction – tout droit – même quand le couloir tourne et me semble revenir en arrière. Tout a l'air à la fois familier et nouveau en même temps, et c'est comme si j'étais de nouveau dans les entrailles de la Fuck Factory.

Le couloir redevient droit. Devant, des lumières jaillissent d'une série d'ouvertures voûtées creusées dans les parois et décalées, donc jamais l'une en face de l'autre, comme les chambres dans un couloir d'hôtel.

Quand j'arrive devant la première, j'entends le murmure qui remplissait l'air autour de moi lorsque je traversais le jardin en surface, mais cette fois moins éthéré, plus pressant ; primaire comme le rugissement de la foule lors d'une manifestation sportive.

Je m'approche de l'ouverture et je jette un coup d'œil à l'intérieur. La chambre est à peu près de la taille d'un grand garage. Comme la grotte, les parois sont peintes, mais cette fois d'une scène d'intérieur, avec des fenêtres, des portes ou même la vue sur des pièces voisines – donnant l'impression que l'espace est beaucoup plus vaste. On dirait un décor de théâtre.

Au milieu de la pièce se trouve un grand échafaud en bois. Une fille est attachée à mi-hauteur de la colonne centrale. Elle est nue, les bras au-dessus de la tête, poignets attachés, paumes à l'extérieur. Une corde est enroulée autour de sa taille comme une gaine. Une autre corde, nouée sur sa poitrine, contourne ses seins et passe par-dessus ses épaules comme un soutien-gorge.

Elle a le corps couvert de taches et de traînées noires comme si on l'avait éclaboussée d'encre. Deux personnages cagoulés se dressent de part et d'autre et tiennent des cierges noirs aussi gros que des torches olympiques, serrés contre eux. Ils baissent la tête comme s'ils administraient un sacrement ou prononçaient une bénédiction.

Autour de l'échafaud, des hommes et des femmes baisent dans une frénésie animale, sans prêter attention à ma présence. Ils portent tous des masques d'une espèce ou d'une autre – de carnaval, d'animaux, des masques en latex à l'effigie de présidents, hommes politiques, célébrités ou personnages historiques. Il se dégage de la pièce un déchaînement d'énergie, incandescente comme du phosphore. L'odeur est suffocante.

J'ai l'impression d'être au bord de mon rêve, de regarder à l'intérieur, captivée par la fille sur l'échafaud. Un cierge est approché de sa poitrine. De la cire coule sur son téton et se fige comme du glaçage. Tandis qu'elle ruisselle sur son corps, elle ondule des hanches et se trémousse comme on le fait quand on meurt d'envie de pisser et qu'il n'y a pas de toilettes en vue. Elle a les genoux pliés et les mollets attachés derrière les cuisses avec plusieurs tours de corde, si bien que lorsqu'elle bouge les jambes, on dirait un papillon qui étale et referme doucement ses ailes. Ou un scarabée qu'on a retourné sur le dos et dont les pattes continuent de pédaler dans le vide sans qu'il aille nulle part.

Elle a la bouche grande ouverte, les yeux réduits à deux fentes, et je suis fascinée par son expression, incapable de déchiffrer si elle supplie qu'on continue ou qu'on arrête. En la voyant là, attachée à un poteau comme Jeanne d'Arc entourée d'une foule haineuse, suspendue entre euphorie et souffrance, je ne sais pas si j'ai envie de baiser avec elle, de la sauver ou de prendre sa place.

Je recule et reprends mon chemin dans le couloir, en passant lentement devant chaque chambre et en jetant un coup d'œil à l'intérieur. Chacune ressemble à une scène du site SODOME. Il y a une fille dans une situation ou un scénario de stress – attachée, enfermée dans une cage, enchaînée, entravée – et tout autour, un public, galvanisé et excité par le spectacle qui lui est offert. Je reste à l'entrée de chaque chambre juste assez longtemps pour vérifier qu'Anna n'est pas à l'intérieur, puis je continue. Je traverse ces catacombes et, au bout d'un moment, c'est comme si je tournais en rond. Ou bien c'est que ces châtiments commencent à tous se ressembler.

C'est alors que j'arrive dans une pièce qui paraît vide. La curiosité l'emporte et j'entre. Comme les autres chambres que j'ai vues, tous les meubles sont peints sur la paroi, sauf une petite estrade, arrangée en lit, et une statue de marbre qui se dresse à côté.

« C'est seulement maintenant que tu arrives ? » demande une voix d'homme derrière moi.

Elle me paraît si familière. Cette voix, je la connais.

Je me tourne et je vois l'homme au masque d'arlequin, l'homme de mon rêve, mon partenaire sexuel à la soirée de la Juliette Society. Un soulagement m'envahit à la vue de cette silhouette familière. Il arbore un sourire entendu et une cape à capuchon noire. Il m'attendait, mais je ne sais pas comment.

« Je cherche quelqu'un », dis-je.

Et je scrute la pièce en disant cela, même s'il n'y a pas grand-chose à scruter.

« Eh bien, je suis là, répond-il, cherchant à attirer de nouveau mon attention et mon regard sur lui.

– Pas toi, rétorquai-je. Ma copine. Anna.

– Je la connais ? demande-t-il.

– Je ne sais pas… réponds-je en le regardant droit dans les yeux.

– Je devrais ? insiste-t-il.

Ce sourire qui apparaît de nouveau brièvement sur son visage. Je ne sais pas vraiment ce qui se passe ni où cela conduit, mais j'ai l'impression qu'il en sait plus qu'il veut bien le laisser croire, et qu'il me mène par le bout du nez.

« Viens, reprend-il en s'approchant de moi la main tendue. Je veux te montrer quelque chose. »

Je prends volontiers sa main, qui se referme sur la mienne et m'enveloppe comme un gant, si familière, si réconfortante et chaude. Il m'entraîne vers une statue en marbre dans un coin de la pièce.

De dos, la statue ressemble à un homme, avec des jambes vraiment poilues. Il est agenouillé et se penche, les bras devant lui, soit pour prier soit pour se masturber le dos tourné afin que personne ne le voie. Alors que nous nous approchons, je constate qu'il ne fait ni l'un ni l'autre.

C'est la statue d'un homme – et il n'y a pas moyen de le dire autrement – qui baise une chèvre. Enfin, pas exactement un homme, mais un être mi-homme, mi-bouc, avec des cornes, comme le diable. Le haut est humain ; le bas, celui d'un bouc. Dans la pratique, j'imagine que c'est en réalité un bouc qui baise une chèvre et qu'aucune loi humaine, naturelle ou divine, n'est vraiment violée ou transgressée. Mais quand même… il baise, il n'y a absolument aucun doute là-dessus, car l'homme-bouc a son sexe enfilé dans le bas du corps de la chèvre. Si une chèvre a un vagin – c'est plutôt gênant, je réalise que j'ignore si une chèvre possède un vagin – eh bien oui, il est enfilé dans le vagin de la chèvre.

La chèvre, comme la plupart des spécimens de son espèce, même femelles, a une barbiche. Et elle est allongée sur le dos, les pattes arrière en l'air, et l'homme-bouc la baise tout en tirant sur sa barbiche. La chèvre n'a pas l'air franchement ravie de cet état de fait, il faut le dire. En réalité, elle a l'air terrifiée. Ou bien je fais simplement une projection. Mais ce scénario tout entier a l'air sacrément malsain, même si la statue en elle-même est magnifiquement sculptée et réaliste.

« Tu sais ce que c'est ? demande-t-il.

– C'est plutôt explicite, dis-je. À part ça, je n'ai pas la moindre idée.

– Essaie de deviner.

– De la pornographie antique étrusque ? hasardé-je.

– Pas loin, rit-il. À quelques siècles près. C'est romain. Pan. Le dieu de la baise. »

J'écoute sa voix et cela me tracasse vraiment, car elle me paraît si familière, mais je n'arrive pas à l'identifier.

« Sais-tu d'où elle vient ? demande-t-il.

– Du Manoir Playboy ? »

Là, je me fiche de lui parce qu'il essaie de prendre des airs supérieurs. Si je pouvais voir son visage, je suis sûre qu'il ferait la grimace.

« Herculanum, dit-il, comme si c'était une évidence. En Italie, près de Pompéi. Dans la villa privée du beau-père de Jules César, qui était lui-même un personnage extrêmement puissant et influent. (Et il donne à Pan une petite tape sur le cul.) Es-tu capable d'imaginer ce qui se passait là-bas ? déclame-t-il. Quel genre d'activités cela inspirait ?

– Des partouzes ? » je dis.

Je blague. Je veux qu'il me trouve marrante et intelligente. J'ai envie qu'il m'apprécie.

« Exactement », répond-il sans la moindre once d'ironie.

Ça y est, j'ai finalement bon quelque part. J'attends qu'il m'en dise un peu plus, mais non.

« Ce n'est pas l'original, malheureusement. L'original est à Naples, mais c'est une excellente copie – tous les détails sont présents et exacts, poursuit-il en laissant glisser son index lentement et méthodiquement le long du sexe dressé de Pan, comme s'il vérifiait qu'il n'y a pas de poussière. Et elle joue son rôle.

– C'est-à-dire ? fais-je.

– Ne fais pas la sainte-nitouche.

– Pas du tout, je dis.

– C'est l'essence de tout cela, répond-il.

– Cela ? Un être mi-homme mi-bête qui baise une chèvre ?

– Ici. Maintenant. L'endroit où nous sommes.

– Puisque tu en parles, qu'est-ce que c'est, justement, cet endroit ?

– C'est le jardin des délices terrestres. Les noces du ciel et de l'enfer.

– Mais qu'est-ce que tu me chantes ?

– La Juliette Society. »

À peine a-t-il prononcé ce nom que je me retrouve à l'endroit où je l'ai entendu la première fois. Dans les toilettes avec Anna. Et moi qui pensais que c'était simplement un nom idiot pour un club échangiste haut de gamme. Apparemment non.

« On dirait le nom d'une association de jeunes filles, dis-je.

– Loin de là. La Juliette Society, ce sont des gens unis par une seule idée, une philosophie commune, tous attachés à la poursuite des plaisirs sublimes. Nous avons des intérêts et des objectifs communs et des moyens illimités.

– On dirait un club pour les ultra-riches qui aiment en mettre plein la vue, remarqué-je.

– Ce n'est pas un club, dit-il. C'est une tradition. Une lignée historique. Elle remonte aux religions à mystères préchrétiennes et aux sectes païennes qui existaient à l'époque romaine. »

Super, pensai-je alors. Voilà qu'il a décidé de me faire un cours d'histoire.

« À mesure que ces sectes étaient de plus en plus nombreuses, les autorités romaines y ont vu une menace pour le pouvoir et l'ordre. Elles les ont donc démantelées et brisées et en ont arrêté les membres. »

Les religions à mystères, ça sonne un peu comme la Fuck Factory de l'antiquité, mais je ne pense pas que c'est ainsi qu'il l'entendait.

« Ce que les autorités ignoraient, c'est que beaucoup de personnages publics et de dirigeants de l'empire romain étaient également secrètement membres de ces sectes, continue-t-il. Ils les ont traqués, emprisonnés et mis à mort. Ils ont failli nous exterminer, mais la secte s'est reformée après la purge et les responsables en ont conclu que la meilleure manière pour qu'elle survive était de respecter trois objectifs : limiter la menace, gérer les activités, minimiser les risques.

– Attends, repris-je. Je suis complètement perdue, là. On parle de gouvernance d'entreprise ou de baise ?

– De baise ? dit-il, comme surpris que le mot franchisse ses lèvres. C'est bien plus que de la baise.

– Tu n'arrêtes pas de le répéter, mais tu ne me dis pas ce que c'est.

– Le désir, répond-il dans un sifflement. Et le pouvoir. Nous ne pouvions pas les laisser nous les enlever, alors la secte est devenue clandestine, elle s'est cachée tout en restant parfaitement visible.

– Comment peut-on se cacher en restant parfaitement visible ? Ça ne tient pas debout.

– Ça tient parfaitement debout. Prenons un exemple. Quel genre d'histoire on ne peut pas vérifier ?

– Tout ce qu'on voit dans la presse à scandales ou sur les chaînes du câble.

– Exactement, dit-il. Les ragots. Les rumeurs. Les mythes.

– Et ?

– Et on ne peut pas poursuivre une rumeur ou réprouver un mythe, reprend-il. Il continue à exister, se perpétuer et avoir de l'influence, mais on ne peut pas le détruire. Il peut seulement évoluer et se transformer. Du coup, depuis cette époque, la secte a été connue sous bien des noms différents. »

Et il me débite une liste de noms qui ressemblent à des titres de films d'horreur débiles de série B.

La Secte d'Isis.

L'Ordre Secret des Libertins.

Le Club du Feu de l'Enfer.

« Le nom sous lequel elle est connue aujourd'hui est la Juliette Society, dit-il. Mais tous proviennent des religions à mystères.

– Quel était le mystère ? demandé-je, intriguée.

– Le mystère était une chose qui ne devait pas être dévoilée, dit-il. Un lieu à invoquer, un endroit comme celui-ci. Une destination finale, pas une étape sur la route. »

Il parle par énigmes, mais je suis complètement captivée.

« Et comment arrive-t-on à cet endroit ? demandé-je.

– Comment es-tu arrivée ici ?

– En limousine avec chauffeur. Déposée à la grille principale. Mot de passe : Fidelio. Les vigiles m'ont regardée de travers. Je pense qu'ils s'attendaient à voir Tom Cruise. Sauf que c'est moi qu'ils ont eue. Tom Cruise avec des seins.

– Très drôle, dit-il. (Mais il ne rit pas. Il ne sourit même pas.) Ce n'est pas ce que je voulais dire. Il y a trois étapes d'initiation.

– Qui sont ?

– La désorientation des sens. »

Je connais.

« L'intoxication du corps. »

J'ai fait.

« Le sexe orgiaque. »

Aussi. Tout est coché. Me voici.

Ce n'était pas un enchaînement de hasards qui m'a amené ici.

J'y ai été conduite.

« À présent, tu sais comment tu es arrivée ici », confirme-t-il, comme s'il lisait dans mes pensées.

Et de nouveau ce sourire. Indéchiffrable.

« Quoi que soit cette Juliette Society, je ne veux pas en faire partie, lui dis-je. Je veux juste retrouver ma copine.

– Tu en fais déjà partie.

– Je n'ai rien à faire ici ! protesté-je avec véhémence.

– Si tu es arrivée ici, c'est que c'est ta place, rétorque-t-il en me regardant droit dans les yeux.

– Mais pourquoi ?

– Parce que les autres, non.

– Quelles autres ?

– Celles qui n'y sont pas arrivées, dit-il. Tu vois, celles qui renoncent à mi-chemin, qui laissent tomber, qui reculent à l'initiation, elles ont été sacrifiées. »

Sacrifiées, songé-je. J'ai bien entendu ? Et je frissonne intérieurement en essayant de ne pas avoir l'air aussi troublée que je le suis en réalité.

« C'est le genre de situation où tu vas être obligé de me tuer maintenant que tu m'as tout dit ? »

Et je ne blague qu'à moitié, là.

Il éclate de rire, mais je ne pense pas qu'il ait réellement compris la plaisanterie, puis il répond que non.

« Nous avons plus de points communs que de différences, tu sais, dit-il. Plus que tu ne voudrais te l'avouer. Si difficile que ce soit pour toi à reconnaître. Nous ne sommes pas comme les autres.

– Pourquoi moi ?

– Tu as un don.

– Et lequel est-ce ?

– Tu es incorruptible, irréductible. Tu comprends. »

Il ne me demande pas, il me l'affirme. Mais je ne crois pas avoir ce talent.

« J'essaie, plaidé-je. J'ai vraiment envie. »

J'aimerais qu'il arrête de parler ainsi. Malgré tout, je suis complètement ensorcelée. J'ai l'impression d'être Alice en train d'essayer de bavarder avec le Chapelier fou et le Lièvre de Mars, de me faire embarquer dans une logique inversée qui me dépasse mais qui tiendrait debout si je l'acceptais simplement.

« Mais tu as déjà compris, dit-il en souriant. Tu sais que le désir et le pouvoir, le sexe et la violence sont les deux faces d'une même médaille. Et c'est ton désir d'en savoir davantage, d'en faire toi-même l'expérience, qui t'a amenée ici. À moi. »

Il me sort un baratin tout prêt. Je le sais, parce que ce n'est pas la première fois que je l'entends. Anna me l'a déjà sorti.

Et je sais qui il est, à présent, ce mystérieux inconnu au masque, l'homme de mon rêve. C'est le type dont Anna m'a parlé, celui dont elle disait que c'était son préféré parmi tous ses petits copains, celui qui la comprenait le mieux.

– Tu connais Anna, dis-je.

Il ne répond pas.

Et je sais ce que c'est, à présent. C'est la scène du *Dernier Tango à Paris*, la seule que chacun connaît et qui intéresse tout le monde.

Celle qui commence quand Maria Schneider entre dans l'appartement de Brando et l'appelle pour signaler qu'elle est là. Comme elle n'obtient pas de réponse, elle croit qu'il n'y a personne. Mais Brando est assis par terre, en train de manger du pain et du fromage, sans rien dire, sans laisser deviner sa présence, attendant simplement qu'elle arrive.

Il sait déjà ce qui va se passer. Il a déjà décidé comment cela allait finir. Ce qu'il va faire. Elle ne se rend pas compte. Et elle fait en sorte de ne pas s'en rendre compte car, d'une certaine façon, elle aussi veut que cela arrive.

Il m'a attendue ici moi aussi, car il savait que je viendrais. Et je suis arrivée au moment voulu.

Prête pour ma scène du beurre.

« Tu as peur ? demande-t-il en s'avançant vers moi.

– Non », dis-je en me rendant compte que c'est vrai.

Et je n'ai vraiment pas peur. Mais quand bien même, je ne lui laisserais pas le plaisir de le savoir.

Tout ce que je me dis c'est : à quoi joue-t-il ? Et où est Anna ?

« Pourquoi ? Je devrais ? » demandé-je.

Il m'attire vers lui et je ne résiste pas, car je comprends que c'est à cela que tout conduisait.

Je voulais venir ici. J'ai fait en sorte que ça arrive.

Je suis venue par nécessité. Je n'avais pas le choix.

J'avais un don. J'ai été repérée.

Il me pousse sur l'estrade sur le dos. Il sait déjà ce qu'il veut et il va le prendre. Je lève les yeux et vois la statue. Une chèvre et un diable cornu qui la monte. Moi et lui dans une union impie. Sauf qu'il ne tend pas la main vers ma barbiche, mais vers ma gorge.

Le temps que je m'en rende compte, ses mains sont sur moi et tout va si vite que c'est comme au ralenti.

Ses mains m'enserrent la gorge.

J'essaie de crier, mais seul sort un souffle creux. Je me débats, mais il sait qu'il est plus fort que moi. Je suis clouée à la plateforme et il pèse de tout son poids sur moi.

Je suis totalement impuissante, et en même temps totalement en éveil et consciente.

Il est trop tard pour réagir, trop tard pour fuir.

Je sens ses mains qui se referment lentement sur ma gorge.

« Petite idiote, ricane-t-il. Tu n'étais pas obligée de venir. »

Il se penche sur moi jusqu'à ce que son visage soit au-dessus du mien, et tout ce que je vois, ce sont ses yeux déments qui flamboient derrière le masque de cuir bruni.

Je vois en un éclair ce qui est arrivé à toutes ces filles. Je vois en un éclair ce qui a pu arriver à Anna. Et tout me semble évident, à présent. Tout paraît tellement clair.

J'aurais dû faire plus attention. J'aurais dû écouter ma tête et non mon corps. J'aurais dû m'y attendre.

Personne ne veut mourir. Pas ici. Pas comme ça.

Je ne veux pas mourir. Pas ici, pas comme ces filles.

Mais il est trop tard pour regretter.

Il est en train de me prendre la vie. Il veut la voir s'éteindre. Il veut que j'éprouve ce qu'elles ont éprouvé.

Et je rassemble jusqu'à mes dernières forces et mon dernier souffle pour lâcher dans un râle :

« Va te faire foutre. »

C'est un gargouillis qui sort. Il se baisse jusqu'à mon oreille et je l'entends me chuchoter. »

« Tu me sens ? »

Ses doigts se resserrent.

Puis c'est le noir complet.

L'instant d'après, je suis allongée sur le dos, le regard fixé sur une vaste étendue de ciel bleu qui va d'un horizon à l'autre. Pas de soleil, ni de lune, ni de nuages. Et même si la couleur est un grand aplat uniforme, j'ai l'impression que c'est incurvé, comme si je contemplais la courbure de la terre. Je sens une petite brise qui effleure mon corps, mais pour l'instant, je ne saurais dire si je suis sous l'eau ou en train de flotter dans le ciel.

Des goélands d'un blanc fantomatique glissent au-dessus de ma tête comme des sentinelles. Et s'il n'y avait pas le bout de leurs ailes qui semble comme trempé dans l'encre de Chine, je pourrais penser que ce sont juste des corps flottant devant mes yeux à force d'avoir fixé trop longtemps ce bleu infini. Ils bougent dans mon champ de vision, certains plus gros que d'autres, sur des trajectoires qui se croisent à différentes altitudes, même si on dirait qu'ils sont sur le même plan. J'aperçois un vol d'étourneaux qui passe dans le ciel en zigzaguant comme un banc de poissons qui virevoltent pour suivre les courants.

Je lève la tête pour regarder autour de moi. Je suis allongée toute nue au milieu d'une plateforme de pierre à une trentaine de centimètres du sol. Une robe de soie rouge avec des broderies compliquées au fil d'or est étendue sous moi comme un drap. Et mes bras sont à moitié enfilés dans les manches. Tout autour de la plateforme, aussi loin que porte le regard, s'étendent des rangées et des rangées de gradins vides.

Comme je me sens prise de vertige, je repose ma tête pour regarder le ciel et j'ai l'impression de voler, comme si je m'élevais dans les airs avec les oiseaux. Je sens quelque chose qui se prend dans ma gorge, telle une plume. Elle me chatouille la gorge et l'obstrue en même temps. Je ne peux pas respirer et je commence à paniquer. Je tousse pour essayer de la déloger. Rien ne sort de ma bouche, mais ce qui l'obstruait est parti à présent et j'inspire une grande goulée d'air, comme si c'était la première de ma vie. Comme si j'étais morte et que je renaissais. Et avec cette goulée arrive une douleur fulgurante qui me traverse la gorge, descend dans ma poitrine jusqu'à mes poumons, comme si j'inspirais du feu.

Et il me semble entendre Jack chuchoter :

« Tu es arrivée. »

J'ouvre les yeux pour le saluer.

J'ouvre les yeux, j'attends qu'ils s'habituent et je me rends compte que ce n'est pas Jack, pas l'inconnu masqué, mais Bob, qui se dresse au-dessus de moi, le visage dissimulé par l'ombre. C'était Bob. Bob était l'homme au masque. Et je ne sais pas pourquoi, mais je ne suis pas du tout surprise.

Je le vois qui lève le bras. Et j'éprouve une douleur cuisante à la joue quand il me gifle. Ma tête est brusquement projetée sur le côté comme si elle était montée sur ressort.

Il me prend le menton, me retourne vers lui et me gifle à nouveau. Plus violemment, cette fois.

« Réveille-toi, crie-t-il. Ce n'est pas le moment de mourir. »

Je le regarde et je distingue seulement son visage pendant une fraction de seconde avant que tout devienne flou tandis que les larmes me montent aux yeux.

Je le sens encore en moi. Et il bande. Sans doute bandait-il depuis le début. Je me sens mal. Mais surtout, je suis en colère et je le gifle de toutes mes forces. Le claquement de ma paume sur sa joue me procure un certain plaisir. Mais pas l'expression de son visage. Je reconnais le même contentement qui apparaît sur le visage d'un politicien quand on lui colle un bébé dans les bras pour une photo.

Il me saisit les poignets, pas tant pour m'empêcher de le frapper de nouveau que pour abaisser mes mains. Vers son cou.

« Échangeons les rôles, dit-il. Étrangle-moi. »

Ses mains sont sur les miennes. Mes mains sont sur son cou.

« Plus fort. »

Et je serre.

Il le redit.

« Plus fort. »

Le fort auquel je parviens n'est clairement pas suffisant.

Il le répète, il le hurle, à présent, encore, encore et encore. Comme un entraîneur sportif qui essaie de pousser ses poulains jusqu'au point de rupture. Et je suis furieuse.

« Plus fort. »

J'agis sans réfléchir.

« Plus fort. »

Je serre davantage.

« Plus fort. »

Ses mains se desserrent sur les miennes et ses bras retombent. Je continue d'appuyer.

« Plus fort. »

C'est comme si je continuais à enfoncer une vis déjà à fond. Mais je veux donner un tour de plus, juste pour être sûre, et il me faut toute ma force rien que pour manier le tournevis.

Je vois son visage rougir, virer à l'écarlate.

Je serre encore.

Ses lèvres bougent et pas un son n'en sort.

Je pèse sur lui de tout mon poids, à présent, de toute la force que je ne soupçonnais pas en moi, et son visage vire au violacé. Ses yeux sont écarquillés, les pupilles dilatées. Son corps est absolument immobile et rigide.

C'est alors que je surprends sur sa bouche ce petit sourire qui incurve les commissures et qui est positivement mauvais. Comme s'il savait exactement ce qu'il me fait. Ou peut-être parce qu'il souffre atrocement. Je ne peux pas dire, car c'est presque impossible de distinguer une grimace d'un sourire.

Et j'espère vraiment que c'est la première option, car je comprends à présent. Je comprends à quoi tout cela rime. Cette malsaine petite réunion. Le pouvoir de vie et de mort à portée de main. C'est de là qu'ils tirent leur plaisir.

C'est ce qui fait jouir Bob.

Prendre le risque suprême.

Je sens son pouls faiblir sous mes doigts. Je le vois qui perd pied. Je peux mettre fin à tout ça maintenant. Il ne pourrait pas résister. Je peux lui prendre la vie. Ici, maintenant. Je peux la lui prendre tout comme il a pris celle de ces filles et celle d'Anna. Parce que c'est ce que je pense qui a dû arriver. Je peux égaliser le score. Je peux empêcher que cela se reproduise. Plus de victimes.

Et peut-être qu'il y trouverait du plaisir, ce pervers, mais cela ne durerait pas longtemps. Et il serait trop tard pour les regrets.

C'est ce qu'il veut. Il sait qu'il ne peut pas perdre.

Si je le tue, il mourra à l'abri de la certitude que ma vie à moi est finie aussi.

Si je le tue, ce sera beaucoup trop facile.

Je vois la vie qui le quitte lentement. Alors j'enlève mes mains.

Il ne bouge pas. Son visage perd ses couleurs.

Ce salaud est mort. Je le sais. Il est mort, merde !

Je crie son nom – « Bob ! » – encore et encore. Je le gifle. Je tambourine sur sa poitrine.

Je commence à paniquer. Pas question que tout ça retombe sur moi.

Je recommence. Plus fort.

Je suis sur le point de renoncer quand je vois une lueur dans son regard.

Alors je le gifle. Une baffe sur chaque joue.

Il suffoque et reprend de l'air. Dans un râle hideux.

Je le fixe, désespérée, ébahie. Je veux qu'il vive. J'ai besoin qu'il vive. Ce n'est pas pour son bien.

Mais pour le mien.

Il s'y reprend à trois ou quatre fois et on dirait qu'il va s'en sortir. Il refait surface. Il va y arriver.

Je vois ses lèvres bouger, mais je ne distingue pas ce qu'il dit. Sa voix n'est qu'un chuchotement. J'approche ma tête de la sienne.

Je l'entends dire :

« Gena… quelle… cravate… je vais… mettre ? »

Cet enculé de tordu. Toujours obsédé par les apparences. Si seulement Gena savait.

Et je me demande si elle ne sait pas, justement, mais se garde d'agir. Est-elle aveugle ? Se fait-elle des illusions ? Ferme-t-elle les yeux sur ses escapades ? Ne voit-elle donc pas les signes ? Je ne peux m'empêcher de penser que Gena a des soupçons et que c'est de là que vient son sourire tordu.

Bob revient à lui, à présent, mais je ne vais pas le veiller, prendre sa tête dans mes bras, la caresser et attendre qu'il soit sain et sauf. Pas question que je reste à regarder. Il faut que je file avant qu'il se rappelle qui il est, qui je suis, et ce qui vient d'arriver.

Cette soirée est déjà beaucoup trop barbante pour moi. J'en ai vu assez et je sais précisément à quel moment il faut partir. Je m'en vais donc pendant qu'il gît encore sur cette dalle, encore gargouillant, à moitié conscient et incohérent.

Je ne me retourne pas.

Je ne regarde pas en arrière.

J'ai de la chance d'être en vie.

CHAPITRE 22

C'est le soir des élections. Je suis chez moi toute seule à regarder les résultats en direct à la télé. Et quand ils passent à Bob DeVille, il est déjà triomphant. Il est en tête avec une large avance, il a terrassé son adversaire et il sait qu'il va remporter cette élection. Il sait déjà qu'il va gagner et cela se voit sur son visage. C'était une conclusion un peu attendue, non?

Donnez-moi le nom d'un politicien qui ne se tire pas à bon compte de tous les mauvais pas.

C'est presque un des avantages de la profession. Et DeVille y est passé maître.

Pour moi, il est DeVille, à présent. Pas Bob. Cela fait beaucoup trop familier. Et tellement amical que c'en est gênant. Maintenant que je sais ce que je sais. Cela change tout. L'appeler Bob, ce serait un peu comme appeler par son prénom un tueur en série.

DeVille, sur le podium, fait le V de la victoire en arborant un sourire Colgate, le bras à la taille de Gena, juste avant de se lancer dans son discours. Il a l'air tellement suave et content de lui. Et il porte une foutue cravate. Je dois être la seule personne qui regarde cela et qui sait pourquoi. Il la porte pour cacher ses marques de baise. Pour protéger son sale petit secret.

Gena désigne des gens au hasard dans l'assistance, faisant les mêmes grimaces que Hillary Clinton aux meetings électoraux. Bouche bée de surprise, incrédule, agitant frénétiquement la main vers n'importe qui dans la foule comme si elle venait retrouver un membre de la famille perdu de vue depuis une éternité, et faisant semblant de le connaître. Gena fait cela, parce qu'elle est convaincue qu'elle a franchi une étape sur le chemin pour devenir première dame, et qu'elle a intérêt à commencer à jouer le rôle.

Les DeVille jouent leur numéro devant une foule exubérante qui a été charriée en autobus depuis des kilomètres à la ronde pour faire masse et donner l'impression que le futur sénateur a su prendre le pouls d'un électorat ivre de désir de changement, alors qu'il a probablement décroché le plus bas score électoral dans l'histoire de l'État.

Et ils s'en sortent bien. Jamais on ne saurait qu'ils sont autre chose que ce qu'ils donnent à voir. Le couple américain bon teint. Amoureux, fidèle et resplendissant de santé.

Quand l'image passe à un plan général de la scène entière, j'aperçois Jack sur le côté avec le reste de l'équipe DeVille. Rien ne pourrait gâcher ce moment pour moi. Je suis tellement fière de Jack, vraiment.

Même si cette fierté est entachée parce que je sais qui est le vrai DeVille, à présent, pas le politicien en carton qui dit à la télé qu'il veut montrer aux gens « qui il est vraiment ». Je sais ce dont il est capable. Je sais de quoi il fait partie.

Je me pose de nouveau la même question. Que vaut une expérience ? Et qu'est-ce qu'elle coûte ?

Voici ce que vaut mon expérience. Je comprends à présent des choses sur le sexe et le pouvoir, comment ils sont liés et interagissent, des choses que certains ne parviendront jamais à découvrir durant leur vie entière. Et je suis encore si jeune.

Mais je vais aussi devoir vivre avec cela toute ma vie. Je ne peux pas dire que ça me rend heureuse. Pour être vraiment honnête, ça me met même plutôt mal à l'aise. Parce que je sais que je suis seulement à un pas de DeVille.

Je pourrais dire à Jack ce qui s'est passé. Je pourrais tout faire éclater en plein jour si je voulais. Mais nous n'avons qu'une seule vie et je rêve et fantasme comme tout le monde des choses que chacun désire : sécurité, famille, bonheur, amour. Et je ne sais pas ce que réserve l'avenir, mais je sais une chose qui ne figure pas dans l'avenir que j'imagine pour moi. Délation.

Mon instinct de survie est beaucoup plus puissant que mon désir de sauver le monde. Donc, je pourrais jouer les héroïnes si je voulais, mais est-ce que je veux être connue comme telle pour le restant de mes jours ? Est-ce que je veux vivre avec les conséquences ? Que deviendrait Jack ? Qu'adviendrait-il de nous ?

Si je faisais cela, je devrais tout dire à Jack. Et je ne suis pas encore prête à sauter le pas. Certaines choses doivent rester tues. Les secrets valent mieux gardés que révélés. Celui-ci doit rester avec moi. Du moins pour le moment. Mais je me réserve le droit de changer d'avis.

Que feriez-vous dans ma position ?

Songez-y. Ce n'est pas facile, n'est-ce pas ? Il n'y a pas de solution simple ou d'issue évidente.

Ce n'est pas comme l'un de ces films hollywoodiens où tout est parfaitement ficelé dans la dernière bobine. Où les méchants reçoivent la punition qu'ils méritent, où les forces du chaos et du mal sont vaincues, où l'ordre est rétabli. Où le héros ou l'héroïne s'en tire et peut retrouver sa vie normale : son foyer, son conjoint, ses enfants, son chien. Je n'ai pas vraiment besoin de vous le dire, mais la vraie vie, ce n'est pas comme ça. Les fins hollywoodiennes n'arrivent qu'au cinéma.

La manière dont cette histoire se termine ressemble plus à ce long plan à la fin du *À bout de Souffle* de Godard, où le personnage joué par Jean-Paul Belmondo, un petit criminel du nom de Michel, est résigné à son destin, après que sa petite amie américaine, jouée par Jean Seberg, vient de lui dire qu'elle ne l'aime pas et qu'elle l'a dénoncé à la police. Elle fait ça juste pour attirer son attention. Elle agit par dépit.

Étant un gangster dans un film de gangsters, conscient de cela et plus intelligent que la plupart, Michel sait déjà où tout cela va mener. Et nous le savons aussi.

Vous vous rappelez ce que j'ai dit?

L'intrigue est subordonnée aux personnages.

Alors Michel reçoit une balle dans le dos et titube dans la rue, il titube vers l'oubli. Il parvient au carrefour et puis il tombe. Et c'est vraiment ça, la fin qu'il a imaginée pour lui. Mais en plus banal, parce qu'il apparaît davantage comme la victime d'un accident de la circulation mineur que comme un dangereux criminel abattu dans une rafale tirée par les forces de l'ordre.

Les derniers mots qu'il prononce avant de succomber à son destin? «C'est vraiment dégueulasse!» C'est sa sardonique phrase d'adieu à un monde qui ne l'a jamais aimé et réciproquement. C'est son moment «*Rosebud*». Mais plutôt que de laisser quelque grandiose révélation au moment de tirer sa révérence, ses paroles sont entendues de travers, mal comprises, réinterprétées – on ne saura jamais vraiment – en: «Vous êtes vraiment une dégueulasse.» Une phrase qui s'adresse non pas au monde, mais à la femme qu'il a aimée, qui l'a trahi – son talon d'Achille, la femme fatale qui se penche sur lui alors qu'il fait de sa grande scène de mort une parodie.

Quand ses paroles sont rapportées à Jean Seberg, sa maîtrise du français qui jusqu'à ce moment du film semble remarquable pour une jeune Américaine, lui fait soudain défaut. Elle ne comprend pas ce que veut dire le mot *dégueulasse* – et elle est forcée de demander ce qu'il signifie.

C'est là que finit le film.

Elle se retrouve non seulement à comprendre l'énormité des événements qu'elle a mis en branle par une manifestation d'égoïsme ordinaire, mais également face à la perspective de rester jusqu'à son dernier jour sous le coup d'une méprise.

De croire qu'il est mort en la détestant.

Si seulement tous les films pouvaient finir comme ça. Si seulement tous les films pouvaient finir comme la vie.

Non résolus.

Car, dès le jour de notre naissance… non, avant cela, dès le moment de notre conception, nos vies ne sont rien d'autre qu'une série de problèmes non résolus. Affectifs, sexuels, professionnels, familiaux, et probablement d'autres sortes aussi. Et il nous faut toutes nos ressources pour ne pas finir empêtrés dedans.

Certains passent leur vie obsédés par ces détails, les « et si… », « aurait-on pu… ? » et « fallait-il ? ».

Pas moi.

En pratique, en cet instant précis, je suis un problème non résolu. Et DeVille le sait. Il pourrait se débarrasser de moi s'il en avait envie. Il en a le pouvoir. Il pourrait simplement claquer des doigts et me faire disparaître. Comme Anna. Il pourrait payer quelqu'un pour me régler mon compte et couvrir tout cela comme il l'a fait avec Daisy et les autres. Et il n'aurait jamais à souffrir des conséquences, jamais à payer le prix. Il continuerait à arborer son sourire Colgate à la télé et personne n'en saurait jamais rien.

Mais il ne lèvera pas le petit doigt sur moi, j'en suis tout à fait certaine. Je ne vais pas passer le reste de ma vie à surveiller mes arrières, aux aguets, en attendant l'arrivée de cette personne. Je n'ai pas peur. Je suis sûre que DeVille a pris la mesure des risques et décidé que j'étais un problème non résolu avec lequel il peut se permettre de vivre.

Pourquoi croyez-vous que j'en sois si sûre?

Eh bien, vous savez ce qu'on dit.

Savoir, c'est pouvoir.

DeVille a fait une promesse à Jack. Il lui a dit que s'ils remportaient l'élection, il donnerait à Jack un poste dans son administration. Jack n'a aucune raison de penser que cette promesse ne sera pas tenue. J'entends veiller à ce que DeVille la respecte. Et je suis sûre qu'il le fera, car DeVille a besoin dans son équipe de garçons intelligents comme Jack pour le mettre en valeur.

Et qui suis-je pour priver Jack de cette opportunité? Qui suis-je pour freiner son ambition?

De toute façon, ce n'est pas de moi dont DeVille a peur.

C'est de Jack.

De la manière dont il réagirait s'il apprenait…

C'est ainsi que fonctionnent ces choses. Il faut que vous le sachiez.

Personne n'a aucun avantage à rendre les choses publiques. Ce n'est dans l'intérêt de personne.

C'est la véritable nature du pouvoir. La nature occulte du pouvoir.

Il est caché. Et il reste caché.

Alors la Juliette Society, elle continue simplement.

Les filles comme Anna continuent de disparaître. Ou d'être retrouvées mortes.

Et c'est un pauvre type comme Bundy qui prend tout. Parce qu'il est jetable et n'a pas une vision suffisante de l'ensemble pour faire tomber quelqu'un avec lui. En fin de compte, Bundy est un maillon de la chaîne qui peut être facilement remplacé. Il y aura toujours des filles disposées à se vautrer dans le vice et des types disposés à les aider. Cela a toujours été le cas, et il en sera toujours ainsi.

Nous sommes liés, à présent – Jack, DeVille et moi. Comme le moment suspendu dans *Le Bon, la Brute et le Truand.* Un triangle éternel. Nous sommes dans un cercle de pierre, diamétralement opposés. C'est un jeu de regards, on s'observe et on attend de voir qui va faire le premier geste. Tout ce que je sais, c'est que je n'ai aucune envie de finir dans une tombe anonyme. Et la destruction mutuellement garantie ne profite à personne.

Ou bien c'est comme la fin de *Braquage à l'italienne*, où l'or est à l'avant du bus, les gens tous à l'arrière et le véhicule en équilibre au bord d'un précipice. Un faux mouvement et tout va basculer dans le vide.

C'est ce qui se passe ici.

C'est ce que je retire de toute cette petite aventure.

Le sexe est le grand facteur d'égalisation.

REMERCIEMENTS

Je dédie ce livre à tous les hommes et les femmes comme moi qui, à un moment de leur vie, n'ont eu que la littérature et le cinéma comme exutoire pour être à l'aise avec leur sexualité.

Je ne remercierai jamais assez Marc Gerald et Peter McGuigan, qui ont cru en moi et m'ont poussée à faire que ce livre devienne réalité, alors que je doutais de moi. Chris et Masumi pour leurs conseils, leurs précieuses recherches et leur contribution. MV Cobra pour l'amour et la lumière. Je remercie mes amis Saelee Oh, James Jean, Dave Choe, Yoshi Obayashi, Kristin Burns, Candice Birns, Brian Levy, et la New School Media. Beth DeGuzman, Selina McLemore, Catherine Burke, David Shelley, Kirsteen Astor, Stéphanie Abou, Kirsten Neuhaus, vous avez tous consacré tellement de temps et d'efforts à faire de ce livre tout ce qu'il pouvait être. Merci!

Enfin, et ce ne sont pas les moindres, tous les réalisateurs et écrivains qui continuent de m'inspirer: Godard, Fellini, Buñuel, Friedkin, Tohjiro, Jean-Baptiste de Boyer, Angela Carter, Voltaire, THE MDS.